“tout un monde d'évasion”

Il y a des jours où tout va bien...
Il fait beau, vous vous sentez jolie,
pleine d'énergie, de dynamisme.
Alors, vous plongez avec enthousiasme
dans un nouveau roman Harlequin,
dont l'héroïne, comme vous,
rayonne d'audace et de joie de vivre!

Il y a des jours où tout va mal...
Il pleut, et les nuages vous brouillent le teint.
Tout le monde est maussade ; vous aussi.
Alors, ouvrez vite un nouveau roman Harlequin.
Vous y trouverez le soleil, la passion,
l'optimisme dont vous avez besoin.
Vous oublierez tous vos soucis.

Quelle que soit votre humeur,
gaie ou triste, tendre ou folle,
Harlequin vous offre chaque mois
des heures de détente et d'évasion...

Partez avec Harlequin,
le temps d'un roman.

En dépit de notre orgueil

Sarah Holland

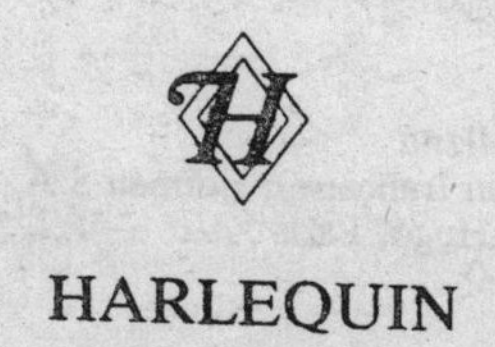

HARLEQUIN

Cet ouvrage a été publié en langue anglaise sous le titre :

DEADLY ANGEL

53, avenue Victor-Hugo, Paris XVIe — Tél. 500.65.00
ISBN 2-280-00133-0
ISSN 0182-3531

1

Ce soir-là, Nick Baretta se détendait enfin dans la salle du conseil de sa société new-yorkaise. Il était rentré d'Italie depuis seulement deux jours, durant lesquels ses collaborateurs, incapables de prendre des décisions pendant son absence, n'avaient cessé de le harceler. Ils se révélaient, en définitive, totalement dépourvus d'esprit d'initiative.

Il se servit un whisky qu'il dégusta en soupirant et en fermant les yeux de bien-être. Diriger seul une multinationale n'était vraiment pas de tout repos. Son regard fit le tour de la pièce lambrissée de chêne, tandis qu'un léger sourire sur ses lèvres trahissait une certaine satisfaction.

Pourtant, le plaisir que lui procurait l'accomplissement de sa tâche ne lui suffisait pas. En effet, un besoin constant de prendre des risques, de se lancer à l'assaut de nouveaux projets, de gagner d'autres défis le tenaillait. Parfois, il se surprenait même à rêver d'être pauvre, comme autrefois, et de repartir à zéro, à la conquête de la réussite pour parvenir au sommet.

Issu d'un milieu misérable, il avait dû abattre un à un tous les obstacles, écarter impitoyablement tous ceux qui se dressaient sur son chemin. Aujourd'hui, plus personne n'osait affronter cet homme à l'intransigeance et à la volonté de vaincre inébranlables.

Mais pourquoi se sentait-il aussi fatigué tout à coup ? Il n'avait rien accompli de particulièrement éprouvant, ces derniers temps... Que restait-il de son tempérament combatif ? En tout cas, pour rien au monde il ne retournerait dans le quartier italien de New York, dont il n'avait pas oublié l'odeur âcre, la saleté repoussante. La pauvreté n'était romantique que dans les livres. Dans la réalité, elle donnait naissance à une sorte de jungle dangereuse et pleine d'embûches d'où seuls les plus forts émergeaient.

Il cligna des yeux quand la sonnerie du téléphone déchira le silence. Il décida de l'ignorer, mais comme elle persistait, il se résolut à décrocher tout en maugréant.

— Oui ? dit-il sèchement, déterminé à ne pas se laisser importuner longtemps.

Mais les mots les plus inattendus lui glacèrent brusquement le cœur.

— Greg est mourant, lui annonça sans ambages la voix sanglotante de sa mère.

Il demeura un instant pétrifié avant de parvenir à répondre. Il n'avait pas pris au sérieux, jusqu'ici, l'acte inconsidéré de son frère...

— Va à l'hôpital, maman, je t'y rejoins immédiatement.

Il reposa son verre sur la table d'acajou après l'avoir fini d'un trait, prit sa veste et quitta la pièce.

Dans les rues de New York, la circulation était très dense, et, d'encombrements en encombrements, ses mains crispées sur le volant devenaient toutes blanches aux articulations.

Dans sa hâte, il brûla un feu rouge de Park Avenue. Il entendit aussitôt retentir une sirène, et, presque simultanément, il vit grossir dans son rétroviseur la lumière clignotante de la voiture de police.

— Qu'ils aillent au diable ! pesta-t-il, furieux, en s'arrêtant.

Il fit descendre la glace électrique du véhicule, tandis qu'un policier s'avançait vers lui d'un pas décidé. Parvenu à sa hauteur, l'agent parut brusquement interloqué lorsqu'il baissa la tête pour l'appréhender.

— Oh, bonsoir, monsieur Baretta. Comment allez-vous ? fit-il en retirant respectueusement sa casquette.

— Je suis très pressé, répondit Nick, sans penser un instant à s'excuser.

Un peu déconcerté, le policier proposa :

— Voulez-vous une escorte ?

Nick approuva de la tête.

— Santa Teresa Hospital, et faites vite !

Vingt minutes plus tard, grâce à la sirène et au phare gyroscopique, ils étaient arrivés. Il remercia ses accompagnateurs et pénétra dans le bâtiment, se frayant un passage parmi les malades amenés en urgence.

Incommodé par la forte odeur de désinfectant qui flottait dans le hall, il se hâta vers la chambre de son frère. Parvenu devant la porte, il hésita un instant, comme pour rassembler ses forces, puis il entra. Là, il demeura immobile et silencieux, à observer le visage livide du jeune homme. Une rage sourde s'empara de lui. Greg avait vingt-six ans : ce n'était pas un âge pour mourir.

Il ferma les yeux pour contenir sa peine. Puis, quand il pensa à celle qui était responsable de ce désastre, la colère prit le dessus et il serra les poings. Cette femme, en ce moment même, était peut-être en train de sourire sous les flashes des appareils-photos, insouciante et frivole, uniquement préoccupée de sa petite personne, de sa robe et de sa pose.

Que lui importait le sort des autres ? Un homme se mourait pour elle, et elle s'en moquait.

Nick, révolté devant tant d'injustice, décida que cette inconnue ne resterait pas impunie. Il était de ceux qui n'oubliaient ni ne pardonnaient jamais. Il trouverait cette fille, et elle paierait pour ce qu'elle avait fait à son frère.

Une voix derrière lui, l'arracha à ses pensées.

— Nick ?

— Qu'y a-t-il, Tonino ? fit-il en se retournant.

Tonino Corelli, un homme au type latin très prononcé, le considérait avec gravité. Il venait de se glisser dans la chambre et, s'il avait remarqué que les yeux gris de Nick avaient perdu tout leur éclat, il n'en dit rien.

— Il est réveillé, murmura-t-il en indiquant le malade.

Nick s'approcha immédiatement du lit.

— Salut... articula Greg, très faiblement.

Son visage portait les marques d'un immense épuisement. Son regard, habituellement si bleu, si vif, paraissait voilé derrière une brume épaisse.

— Pourquoi ? interrogea simplement son frère aîné.

Il devait absolument savoir si cette Anglaise était bien la seule responsable de cet acte insensé, avant d'agir, et il n'y avait pas de temps à perdre.

— Je ne pouvais pas vivre sans elle, expliqua péniblement le jeune homme. Elle était tout pour moi.

Les lèvres de Nick se serrèrent pour ne plus former qu'une ligne mince dans son visage. Il se contenait pour ne pas dire à son frère combien il avait été stupide de vouloir attenter à ses jours pour une fille qui n'en valait pas la peine.

— Tu vas te remettre, affirma-t-il avec conviction.

Greg ne mourrait pas : c'était aussi simple que cela, songeait-il.

— Oui, répondit la malade, en remarquant que les traits de son frère revêtaient une détermination farouche.

Nick l'observa encore un instant, puis tourna les talons et se dirigea vers Tonino.

— Qu'a dit le docteur ? lui demanda-t-il, en plongeant les mains dans les poches de son costume de lin.

— Qu'il avait déjà perdu beaucoup de sang, dit-il doucement. Il est sous perfusion, et... il s'en sortira certainement.

Nick se détendit imperceptiblement.

— Et la fille ?

Tonino lui tendit un morceau de papier.

— Voilà son adresse.

Nick le prit aussitôt et le parcourut rapidement.

— Elle habite à Londres, grommela-t-il en fronçant les sourcils.

Il pensait qu'elle vivait à New York, mais apparemment, elle était rentrée dans son pays... Voilà pourquoi Greg s'était ouvert les veines.

— Es-tu certain que c'est la bonne adresse, Tonino ?

— Absolument.

— Réserve-moi un billet pour...

— C'est déjà fait, patron. Vous embarquez sur le Concorde dans une heure. Il faut vous dépêcher.

— Tu avertiras maman de mon départ précipité.

— Bien sûr, patron. Je m'occupe de tout, ne vous inquiétez pas.

Nick le remercia d'une poignée de main, puis, après un dernier regard à Greg qui semblait s'être assoupi, il sortit de la chambre.

En proie à la plus vive anxiété, Olivia arpentait nerveusement son appartement. Greg lui avait raccroché au nez, deux heures auparavant ; depuis lors, elle était sans nouvelles du jeune homme, et très inquiète. Elle avait bien essayé de lui expliquer, mais il ne l'avait pas laissé finir ses phrases, comme s'il redoutait d'entendre ce qu'elle avait à lui dire. Pourtant, elle aurait aimé parvenir à rompre sans trop lui faire de mal.

Lorsque, à New York, elle lui avait annoncé qu'elle désirait mettre un terme à leurs relations, il avait paru profondément bouleversé, mais jamais elle n'avait entendu dans sa voix les accents de désespoir qui la faisaient trembler au téléphone, un peu plus tôt... Depuis, un pressentiment indéfinissable ne la quittait pas.

Elle se mordit les lèvres et posa ses yeux bleus sur le combiné. Elle pouvait toujours le rappeler pour prendre de ses nouvelles... Mais cette démarche ne risquait-elle pas de ranimer inutilement une lueur d'espoir dans l'esprit du jeune homme ?

Pourtant, son inquiétude finit par vaincre ses résistances, et ses longs doigts minces composèrent le numéro sans plus d'hésitation.

Bientôt lui parvint une voix claire et nette, malgré la distance.

— Société Baretta, à votre service ?

— J'aimerais parler à M. Greg Baretta, s'il vous plaît...

— Je suis désolée, M. Baretta est parti il y a une heure environ. Voulez-vous que je vous passe sa secrétaire ?

Olivia fronça les sourcils en secouant la tête :

— Non, c'est inutile, je rappellerai plus tard, répondit-elle avant de raccrocher, mal à l'aise.

Si seulement tout cela s'était terminé autrement...

se dit-elle. Greg lui plaisait beaucoup, elle l'aimait bien, mais quand elle avait compris qu'il lui demandait bien davantage, elle s'était trouvée dans l'obligation de rompre brutalement.

Elle voulait maintenant savoir comment il avait réagi. Certainement très mal, songea-t-elle. Mais elle ignorait malheureusement à quel point...

Le lendemain soir, épuisée par sa journée de travail, Olivia prit un taxi pour rentrer chez elle. Décidément, enfiler et ôter des dizaines de vêtements, sourire constamment aux clients et aux photographes durant ces défilés de mode ne la réjouissait guère.

Elle se regarda distraitement dans la vitre de la voiture. Sa volumineuse chevelure noire tombait voluptueusement sur ses épaules. La finesse de sa peau légèrement rosée sur les pommettes, évoquait les pétales de magnolia. Ses lèvres pleines, au dessin parfait, lui donnaient tantôt l'air d'une petite fille boudeuse, tantôt celui d'une femme d'une sensualité provocante. Ses yeux, d'un bleu profond, étincelaient tels des saphirs, entre ses longs cils noirs, conférant à sa beauté délicate un charme mystérieux.

La pleine lune, perdue dans un ciel immense et sombre, dispensait une lumière blanchâtre. Les toits d'ardoise mouillés luisaient à la faible lueur des réverbères. Olivia aimait Londres, la nuit, et, bien qu'elle ait apprécié New York, jamais elle ne s'y était sentie aussi bien que chez elle.

Lorsque le chauffeur s'arrêta à destination, elle se hâta de descendre du véhicule pour respirer l'air humide de la rue. Dans sa bonne humeur, elle lui laissa un gros pourboire.

— Merci beaucoup! s'écria-t-il, visiblement ravi.

C'est sans doute l'effet de la pleine lune... elle exerce une étrange influence sur les gens !

Olivia souriait tout en se dirigeant vers la grille de son immeuble. Elle remarqua alors une longue limousine noire, garée en face, et fronça les sourcils tout en se demandant à qui elle pouvait bien appartenir. Une voiture aussi luxueuse paraissait incongrue dans cette banlieue paisible. Sans doute un de ses voisins comptait-il quelque relation fortunée.

Elle traversait le petit jardin qui la séparait de l'entrée lorsqu'elle fut saisie d'un désagréable pressentiment. Elle s'arrêta devant la porte et se retourna pour scruter les alentours, attentive au moindre bruit. Les branches des buissons frémissaient sous la caresse de la brise ; tout semblait tranquille, pourtant elle était sûre de ne pas être seule...

— Qui est là ? demanda-t-elle dans l'espoir d'effrayer un rôdeur éventuel.

Seul le souffle du vent dans les feuilles lui répondit. Son cœur se mit à battre plus vite, et soudain, non loin d'elle, une flamme de briquet s'alluma, trouant l'obscurité, pour éclairer un visage sinistre où luisaient des yeux gris comme l'acier, et le bout incandescent d'un cigare prisonnier entre des lèvres fermes et bien dessinées. L'homme s'avançait vers elle. Prise de frayeur, elle recula d'un pas, mais la voix de l'inconnu l'arrêta, une voix grave et légèrement voilée.

— Vous êtes bien Miss Courtney, n'est-ce pas ? Miss Olivia Courtney ?

Cette interpellation la rassura un peu : un voleur ne connaîtrait pas son nom, et l'aurait probablement déjà attaquée.

— Que me voulez-vous ? demanda-t-elle en essayant de ne pas trahir sa peur.

L'étranger se décida enfin à sortir de l'ombre. Ses

traits apparurent à la lueur de la lune : des cheveux noirs et durs, des yeux argentés, une beauté un peu sauvage, le visage comme taillé au couteau.

— J'ai besoin de vous, Miss Courtney.

Olivia n'osait bouger, de crainte qu'il ne la poursuive si elle s'enfuyait.

— Si c'est pour un rendez-vous professionnel, je vous suggérerais de prendre contact avec mon agence.

L'homme sourit, et le sang de la jeune fille se glaça dans ses veines.

— Je tenais à juger par moi-même, précisa-t-il avec lenteur.

— Et qu'en pensez-vous ? releva-t-elle avec défi, choquée par l'outrecuidance de l'inconnu.

— Ça ira, déclara-t-il après l'avoir longuement regardée.

Une colère soudaine s'empara d'Olivia. Elle voulut continuer son chemin, mais il lui bloqua le passage.

— Laissez-moi passer, dit-elle en évitant de croiser son regard.

Il lui prit le poignet.

— Je veux vous parler.

Olivia comprit à son ton qu'il ne plaisantait pas.

— A quel sujet ?

— Au sujet d'un ami commun, mais nous ferions mieux d'en discuter à l'intérieur.

Elle observa un instant son profil anguleux se découpant sur le mur.

— Vous ne travaillez pas dans la mode, n'est-ce pas ?

Elle venait de découvrir que cet inconnu produisait sur elle l'effet le plus inattendu : une étrange faiblesse s'insinuait en elle quand elle le regardait...

— Qui êtes-vous ? ajouta-t-elle. Comment avez-vous eu mon adresse ?

Un mauvais sourire se dessina sur les lèvres de l'homme.

— Je n'ignore pas grand-chose de vous, Miss Courtney.

Un frisson parcourut l'échine d'Olivia.

— Qui êtes-vous ? répéta-t-elle.

— Je m'appelle Baretta... Nick Baretta.

L'espace d'une seconde, le cœur de la jeune fille s'arrêta de battre, et elle le considéra avec la plus totale incrédulité. Sous l'effet de la surprise, ses yeux bleu foncé formaient un contraste saisissant dans la pâleur de son visage.

— Vous êtes le frère de Greg ?

— N'avez-vous pas remarqué une petite ressemblance ? fit-il d'une voix moqueuse.

— Cela ne m'a pas frappée, rétorqua-t-elle froidement.

Autant Greg était un jeune homme charmant, doux, heureux de vivre, toujours souriant, autant les traits de son frère portaient les marques de la lutte implacable qu'il avait dû mener pour devenir l'un des hommes les plus importants du monde.

— Votre présence ici a-t-elle un rapport avec Greg ? s'enquit-elle.

Elle s'interrompit un instant, inquiète tout à coup.

— Qu'est-il arrivé ? reprit-elle.

— Cela vous importerait-il ?

— Bien entendu ! se défendit-elle, perplexe.

— Je me répète, mais je crois qu'il vaudrait mieux en parler à l'intérieur.

Olivia hésita brièvement, puis elle pénétra dans l'entrée de l'immeuble et se dirigea vers son appartement. Il marchait derrière elle aussi silencieusement qu'un fauve prêt à bondir sur sa proie.

Il se dégageait du séjour de la jeune fille, une atmosphère chaude et douillette. Des fauteuils confortables, habillés d'un tissu fleuri, apportaient à l'ensemble une note de gaieté. La plupart de ses amis s'étonnaient que la décoration de son appartement ne soit pas plus recherchée. Mais Olivia estimait que son métier la contraignait déjà suffisamment à être sophistiquée. Elle ne tenait pas à être accueillie, de retour chez elle, par les mêmes faux-semblants.

Nick se tenait debout au centre de la pièce. Elle le regarda et tenta de réprimer son irritation quand elle lui dit :

— Abordez-vous toutes les femmes de cette façon ?

— Non, maugréa-t-il. D'habitude, elles viennent à moi d'elles-mêmes.

Olivia rougit, mais s'efforça de ne pas se laisser impressionner.

— J'espère que vous n'en avez pas pour trop longtemps, je me lève tôt, demain.

— Le travail, n'est-ce pas ? J'ai cru comprendre qu'il passait avant toute chose, pour vous.

— Je dois bien gagner ma vie.

— Pendant que mon frère se meurt !

Les mots claquèrent comme un fouet. Olivia demeura interdite, figée d'horreur, tandis qu'il l'étudiait avec une hostilité non dissimulée.

— Vous l'ignoriez peut-être ?

— Oui, répondit-elle, tremblante malgré la douceur de la température.

Nick tira une bouffée de son cigare et en expira la fumée en un long ruban d'argent.

— Vous vous débarrassez toujours des gens de cette façon ? Je suis sûr que vous ne lui avez même pas accordé une pensée, depuis votre retour de New

York, alors que lui, pendant ce temps-là, il ne pensait qu'à vous !

— C'est faux ! J'ai essayé de...

— Taisez-vous ! Vous avez ôté Greg de votre chemin, dès que l'on vous a proposé un nouveau contrat à Londres, sans vous demander un seul instant s'il pouvait en souffrir !

Il esquissa un sourire méprisant avant de poursuivre :

— Une seule chose vous intéresse : votre carrière.

— Mais je l'aime beaucoup Greg ! dit-elle vivement.

— Bien sûr... Vous l'aimez beaucoup, articula-t-il avec une telle violence contenue, qu'Olivia resta sans voix. Miss Courtney, la nuit dernière, mon frère a pris un rasoir et s'est ouvert les veines.

Sous l'effet du choc, la jeune fille eut l'impression qu'une main de glace enserrait brusquement son cœur. L'image de Greg perdant son sang, aux portes de la mort, se dessina dans son esprit, et elle secoua la tête pour tenter de chasser cette vision d'horreur.

— Comment va-t-il ? murmura-t-elle entre ses lèvres exsangues, refusant d'admettre qu'il risquait de mourir.

— Je pense qu'il s'en tirera, dit Nick qui l'observait sans relâche depuis un moment.

Olivia se prit la tête entre les mains et se laissa choir dans un fauteuil, sous le poids du chagrin.

— Jamais je n'aurais imaginé une chose pareille, avoua-t-elle. Si j'avais deviné qu'il pouvait commettre un acte aussi insensé, j'aurais...

— Oui ? l'interrompit-il sardoniquement. Qu'auriez-vous fait ? Vous auriez volé à son côté ? Comme c'est touchant ! Malheureusement, j'ai quelque peine à vous croire.

La dureté de ces paroles la fit frémir. Pourquoi cet

homme se permettait-il de la juger, quand il ne la connaissait même pas ? Contenant sa colère, elle lui demanda :

— Pourquoi a-t-il fait cela ?

— Oh, s'il vous plaît, Miss Courtney, vous n'allez tout de même pas feindre d'en ignorer les raisons !

Elle reconnut intérieurement qu'elle les devinait un peu, mais elle avait besoin de les entendre exposées par un tiers, pour s'en convaincre vraiment.

— Il était fou de vous, et vous le savez, seulement c'est le dernier de vos soucis ! Vous l'avez quitté sans le moindre regret pour regagner l'Angleterre.

— J'ai essayé de lui expliquer, mais il refusait de m'écouter.

— De toute façon, tout cela importe peu, maintenant.

Il s'interrompit, parcourut rapidement la pièce du regard avant d'ajouter :

— Combien de temps vous faut-il pour préparer vos valises ?

— ... Comment ?

Sans doute avait-elle mal entendu...

— Je vous ai demandé combien de temps il vous fallait pour préparer vos valises.

— Pourquoi voulez-vous que je fasse mes bagages ? interrogea-t-elle, les yeux écarquillés de stupeur.

Un court silence s'installa, pendant lequel le cœur d'Olivia cognait à tout rompre dans sa poitrine.

— Parce que vous allez me suivre à New York, dit-il enfin.

— Je ne peux pas, répondit-elle en secouant la tête. Je viens de signer un contrat avec Montoux pour le mois à venir, et il m'est impossible de le résilier.

Alistair, son agent commercial, ne le lui permettrait pas. Il s'était battu longtemps pour le lui obtenir.

— Eh bien, vous vous débrouillerez. Nous partons demain après-midi.

L'incroyable arrogance de cet homme commençait réellement à exaspérer la jeune fille.

— Vous ne comprenez donc pas ? Je viens de vous expliquer qu'il était hors de question que je puisse me libérer ! Je suis tenue de donner un préavis...

— Je m'en occupe. Soyez à l'aéroport demain, en début d'après-midi.

Il fit un pas vers elle, l'air menaçant.

— Sinon, je viendrai vous chercher.

Olivia se leva brusquement, furieuse.

— Si je leur fais faux bond maintenant, je ne trouverai plus jamais le moindre engagement !

Il s'imaginait sans doute qu'il suffisait aux mannequins d'apparaître quelque part pour que toutes les portes s'ouvrent comme par magie devant elles !

— C'est vraiment dommage... rétorqua-t-il d'une voix peu amène. Mais voyez-vous, mon frère a besoin de vous pour se remettre, et je suis résolu à vous ramener près de lui.

— Vous êtes insensé ! cria-t-elle, les poings serrés. Vous n'allez tout de même pas m'emmener contre ma volonté !

Il eut un mauvais sourire.

— Qu'est-ce qui m'en empêcherait ? Je connais des méthodes très persuasives. Je vous le répète, je viendrai moi-même vous chercher, et je vous traînerai de force, s'il le faut.

— Vous n'oseriez pas...

— Oh si, Miss Courtney, et n'essayez surtout pas de me jouer un tour.

Cet homme lui faisait peur : il ne plaisantait pas. Incapable de répondre, elle lui lança un regard chargé de tout le mépris qu'il lui inspirait, mais il ne sembla aucunement en prendre ombrage. Il se dirigea, avec souplesse, vers la porte, élégant dans son costume sombre, et lui dit avant de sortir :

— Bonne nuit, et... à demain !

Emportée par la colère, Olivia lui lança un vase de Chine qui se brisa en mille morceaux contre le battant déjà refermé.

Elle se laissa tomber dans un fauteuil. Pauvre Greg, pensa-t-elle, le cœur serré. Le désespoir lui avait fait perdre la tête.

Comme tout le monde, elle avait déjà entendu parler de Nick, mais son frère le lui avait décrit comme une sorte de héros, qui entretenait avec ses proches les relations les plus amicales, et non comme cet homme implacable. intransigeant, qui l'avait effrayée tout en éveillant en elle, des sensations... indéfinissables.

La jeune fille dormit très mal, cette nuit-là. Tantôt Greg troublait son sommeil, lui arrachant des larmes de pitié ; tantôt Nick la poursuivait, et elle criait dans ses rêves. Ce fut seulement lorsque l'aube déposa sur Londres ses premières lueurs, qu'elle parvint enfin à s'assoupir profondément.

Olivia ouvrit les yeux à neuf heures trente, et sursauta en s'apercevant qu'il était si tard. Elle devait passer à la banque, voir Alistair et rendre visite à sa sœur, avant de quitter la capitale. Elle avait effectivement décidé d'aider Greg : elle n'avait pas le choix. Elle se sentait déjà suffisamment responsable de cette triste histoire pour rester là, sans rien faire, sachant que le jeune homme était aux portes de la mort.

Vêtue d'une robe noire et d'un manteau en poil de chameau, elle se hâta vers l'agence d'Alistair. Un long foulard de soie blanche flottait autour de son cou, au gré de la légère brise matinale.

Alistair aperçut Olivia par la porte entrouverte de son bureau.

— Olivia ! s'exclama-t-il. Entrez donc.

Grand, mince, énergique, Alistair Frobisher était le type même du nerveux. Ses doigts s'agitaient sans arrêt, poussant des feuilles, pianotant sur la table, jouant avec des crayons, se croisant et se décroisant inlassablement. Une touffe de cheveux roux en bataille se dressait au sommet de son crâne.

— Je viens justement de recevoir un coup de téléphone, dit-il d'une voix sinistre en la priant de s'asseoir.

— Vraiment ? murmura-t-elle, sans en être tout à fait surprise.

— En fait, précisa-t-il, j'en ai même reçu deux. Le premier émanait de Montoux : ils sont aux cent coups.

Olivia poussa un profond soupir.

— Le second provenait de Nick Baretta, continua Alistair en faisant voler le stylo qu'il malmenait depuis un moment déjà. Pour l'amour du ciel, Olivia, qu'avez-vous fait ? Savez-vous qui est Nick Baretta ?

— Oui.

— Oui ? Alors écoutez-moi : je ne sais pas à quoi vous jouez, mais il s'agit assurément d'un jeu dangereux. Comment diable avez-vous fait pour retenir son attention ?

— Je ne sais pas, dit-elle en regardant par la fenêtre. Il a juste surgi chez moi pour m'annoncer que je devais le suivre à New York sans discuter.

Alistair émit un petit rire nerveux.

— Mais bien sûr ! s'exclama-t-il.

Il se mit tout à coup à arpenter la pièce de long en large, en proie à une agitation grandissante.

— Vous rendez-vous compte de ce que nous allons perdre ? Jamais nous n'avions obtenu un contrat aussi important, jamais !

— Je suis désolée... J'ai bien essayé de le lui expliquer, mais cet argument n'a pas semblé le convaincre. Ce problème ne l'intéresse pas.

— Non, pas le moins du monde. Il est comme Midas, il change en or tout ce qu'il touche, remarqua-t-il avec amertume.

Olivia l'observa attentivement.

— Qu'y a-t-il d'autre, Alistair ? Vous semblez plus nerveux que jamais.

— Oh, rien... Je suis déçu à propos de Montoux, c'est tout.

Il la regarda un instant, puis haussa les épaules.

— De toute façon, vous partez, et moi, j'ai du travail.

La jeune fille se leva et reboutonna son manteau.

— Vous êtes sûr qu'il n'y a rien d'autre ? s'inquiéta-t-elle.

— Mais non, mais non, assura-t-il, tout en l'entraînant doucement vers la porte. J'ai une réunion à côté. Allez donc rejoindre Nick Baretta. Il s'est montré plutôt froid, au téléphone, je n'ai guère envie de m'attirer des problèmes avec lui en vous mettant en retard.

Olivia pinça les lèvres à l'idée que son emploi du temps se trouvait tout à coup organisé par un inconnu.

— Prenez garde, ajouta-t-il.

Elle l'embrassa sur la joue.

— Je vous appelle dès mon retour, promit-elle.

Dehors, la douceur de la brise ne balaya pas ses préoccupations. Elle pensait à Alistair. Son agence ne marchait-elle pas ? Il paraissait si anxieux...

Sourde au bruit de la circulation, indifférente aux

piétons pressés qui la croisaient ou la dépassaient, Olivia marcha lentement dans la rue, soucieuse. Elle s'apprêtait à traverser machinalement lorsqu'un coup de klaxon la fit sursauter et remonter vivement sur le trottoir, la ramenant brutalement à la réalité. Quelle idiote ! Nick Baretta n'allait tout de même occuper toutes ses pensées au point de lui faire perdre la tête !

Elle se dirigea vers la banque, le chassant résolument de son esprit.

2

De nombreux clients attendaient au guichet, et Olivia crut perdre patience lorsque la dame qui la précédait se mit à deviser de la pluie et du beau temps avec l'employé. Son tour arriva enfin, et elle rangea en toute hâte les billets dans son portefeuille, avant de s'élancer au-dehors où elle héla un taxi.

— Pimlico, s'il vous plaît, dit-elle au chauffeur.

Arrivée à destination, elle sonna chez sa sœur qui vint lui ouvrir au bout d'un long moment.

— Oh... C'est toi ! s'exclama Caroline, en passant son petit visage mutin dans l'entrebâillement de la porte.

Ses yeux bleus encore ensommeillés se posèrent sur Olivia. Caroline était une noctambule. Toujours épuisée durant la journée, elle commençait seulement à revivre à la tombée de la nuit. D'ailleurs, sa peau revêtait une pâleur révélatrice : elle manquait de grand air, de soleil

— Tu veux du café ? proposa-t-elle en faisant entrer sa visiteuse.

— Je préfère du thé, mais dépêche-toi. J'ai très peu de temps devant moi, je dois retourner à la maison dans moins d'une demi-heure.

Elles s'installèrent dans la cuisine.

— Tu as un défilé de mode aujourd'hui? C'est pourquoi tu es si pressée?

— Non, je repars pour les Etats-Unis.

— Ah bon? Je croyais que tout était fini? Et tu viens seulement de rentrer!

— Oui, mais je dois y retourner. C'est une histoire un peu compliquée, et je n'ai pas le temps de te raconter, dit Olivia en songeant tout à coup qu'elle n'avait même pas préparé ses valises. Je voulais simplement te prévenir.

Elle avala rapidement son thé et embrassa sa sœur cadette avant de se sauver.

Heureusement, elle trouva tout de suite un taxi, et lorsqu'il la déposa devant chez elle, elle vit la grande limousine noire garée un peu plus loin. Nick Baretta l'attendait... Le cœur de la jeune fille se mit à battre plus vite.

Il descendit du véhicule et se dirigea tranquillement vers elle, les mains dans les poches.

— Où étiez-vous? lui demanda-t-il de sa voix grave, légèrement voilée. Je commençais à croire que vous aviez disparu.

— J'avais plusieurs choses à régler, répondit Olivia du bout des lèvres.

— Quel genre de choses? s'enquit-il tout en lui emboîtant le pas.

Ils pénétrèrent dans l'appartement, et il referma la porte derrière lui. Il portait un costume sombre et un pardessus de cachemire noir qui conférait à sa prestance naturelle une gravité troublante.

— Je sors de chez ma sœur, si cela vous intéresse.

— Ah, oui : Caroline.

— Je constate que vous êtes parfaitement renseigné, remarqua-t-elle, acerbe.

Il lui répondit par un mince sourire qui la fit

frissonner. Postée à l'autre bout de la pièce, elle le regarda avec défiance : que savait-il d'autre sur elle, et comment le savait-il ? Avait-il interrogé Greg ? C'était peu probable...

— Je vais faire mes valises, dit-elle froidement. Je ne serai pas longue, vous pouvez m'attendre ici.

— Ne puis-je vous aider ? proposa-t-il en la détaillant avec insolence.

— Non, rétorqua-t-elle avant de claquer la porte de sa chambre.

Elle se mit à la tâche nerveusement, mais ses mains tremblaient. Cet homme produisait sur elle l'effet le plus regrettable : il avait le don de lui faire perdre ses moyens. Elle devait absolument parvenir à garder son calme en face de lui, c'était la seule manière de l'affronter sans se laisser émouvoir. Mais... y parviendrait-elle ?

Ils atterrirent à New York en début d'après-midi. Un homme au type italien très prononcé les attendait à l'aéroport.

— Tonino ! s'exclama aimablement Nick. Comment va-t-il ?

— Bien, patron, beaucoup mieux. Je viens d'aller le voir, il reprend déjà des forces.

Olivia poussa un soupir de soulagement. Elle hésita un instant avant d'adresser à l'homme un sourire timide :

— Bonjour, dit-elle. Je suis Olivia.

— Oh... bonjour, répondit Tonino, assez sèchement.

Elle rougit en comprenant qu'il la condamnait, lui aussi.

Ils s'installèrent dans la voiture et se dirigèrent à vive allure vers Manhattan, traversèrent Triboro

Bridge qui enjambait l'East River dont les eaux calmes miroitaient sous le doux soleil printanier.

Ensuite, ils s'engagèrent dans des rues grises et sales, où rien ne rompait la monotonie des alignements de maisons toutes semblables les unes aux autres. Au centre de la ville, la circulation s'intensifia, ponctuée de coups de klaxons furieux.

Olivia regarda Nick assis à ses côtés.

— Quand pourrai-je voir Greg ? s'enquit-elle.

— Tiens ! releva-t-il, moqueur. C'est bien la première fois que vous manifestez de l'intérêt pour lui ! Que cache cette soudaine sollicitude, ma chère ?

La jeune fille préféra ignorer ses sarcasmes. S'il n'avait pas affiché une telle arrogance à son égard, elle l'aurait peut-être questionné davantage sur l'état de son frère. Mais la suffisance insupportable de Nick Baretta la glaçait. De toute façon, elle savait pertinemment qu'elle ne verrait pas Greg avant qu'il ne daigne la conduire à son chevet.

Et puis cette perspective l'effrayait un peu. Se sentir responsable d'un acte aussi inconsidéré ne l'aidait pas à adopter une attitude réfléchie.

Elle s'aperçut qu'ils étaient directement venus à l'hôpital quand la voiture se gara devant un grand bâtiment blanc sur lequel se détachait distinctement une inscription : Santa Teresa Hospital.

— Vous venez ? l'invita Nick en lui ouvrant sa portière.

La ville semblait bien bruyante, au sortir du véhicule silencieux. Olivia leva la tête vers les immeubles qui fusaient comme des flèches pointées vers le ciel.

Quand ils parvinrent devant la porte de la chambre de Greg, Nick s'arrêta. Son visage semblait impassible, mais la jeune fille y remarqua les marques presque imperceptibles de l'inquiétude. Elle ferma les yeux un instant, souhaitant ardemment que le malade soit vraiment hors de danger.

— Agissez le plus naturellement possible, lui conseilla-t-il. Ne le bouleversez pas.

— Cela va de soi !

— Je vous rappelle que vous êtes ici pour jouer les amoureuses éperdues.

Il lui prit la main et lui sourit, mais son regard la glaça.

— Ne vous avisez pas de me désobéir. Je risquerais de me mettre très, très en colère.

Olivia acquiesça, la gorge sèche, puis ils pénétrèrent dans la pièce. Lorsqu'elle vit Greg si pâle dans le grand lit blanc, son cœur se serra, mais elle avança lentement vers lui. Le jeune homme entrouvrit les yeux, comme s'il avait senti sa présence.

— Olivia ! murmura-t-il, incrédule, en tendant une main pour prendre celle de la jeune fille.

Il parvint à lui offrir une ombre de sourire.

— Est-ce toi ? Est-ce bien toi ? reprit-il. On m'avait dit que tu viendrais, mais je n'y croyais pas. Je pensais que tu te moquais de mon sort.

Elle sentit des larmes perler à ses paupières.

— Quelle idée ! se défendit-elle faiblement, se maudissant intérieurement de ne pas avoir compris à temps combien cette rupture était dramatique pour lui.

— Mais tu es partie, sans même me promettre de revenir...

Elle lui caressa doucement les cheveux, dégageant le front du malade.

— Tais-toi, Greg, ne t'inquiète pas. Je suis là, maintenant, et je resterai près de toi.

« Jusqu'à ce que tu te rétablisses », ajouta-t-elle pour elle seule. Ensuite, elle repartirait sans tarder et pour toujours. Il devait apprendre à affronter seul la réalité, avec ses joies et ses désillusions, sans flancher à la première déception.

Greg serra les doigts de la jeune fille. Il se tourna ensuite vers Nick qui se tenait de l'autre côté du lit.

— Bonjour, lui dit-il faiblement. Où étais-tu passé ? Je ne t'ai pas revu depuis le soir où l'on m'a amené ici.

— Oh... répondit nonchalamment son frère. Je me suis occupé de quelqu'un qui ne voulait pas respecter un marché, répondit-il en posant un regard ironique sur Olivia qui s'empourpra.

— As-tu vu maman ?

— Non, je n'en ai pas eu le temps, mais je passerai l'après-midi avec elle.

Le jeune malade reposa sa tête sur ses oreillers et poussa un long soupir.

— Je suis si content que tu sois venue, confia-t-il à la jeune fille dont les larmes coulaient à présent. Oh, non, je t'en prie, ne pleure pas ! continua-t-il, se méprenant sur les causes de ce chagrin. Dès que j'irai mieux, nous nous marierons.

Arborant un visage impénétrable, Nick les observait sans mot dire...

Une heure plus tard, Nick et Olivia quittaient l'hôpital. La jeune fille se carra confortablement contre le dossier du siège arrière et demeura silencieuse pendant tout le trajet, perdue dans ses pensées. Elle songeait a Greg.

Elle l'avait rencontré lors d'une soirée où elle ne connaissait pas grand monde et où elle s'ennuyait un peu. Les plaisanteries du jeune homme, sa gaieté, ses histoires drôles l'avaient tout de suite divertie. Ensuite, ils s'étaient revus régulièrement pendant un mois, mais quand elle avait compris qu'il nourrissait pour elle des sentiments plus profonds, elle avait tenté de mettre un terme à leur amitié. Il s'était immédiatement récrié, opposé à cette idée, et avait fini par l'implorer de continuer à sortir avec lui jusqu'à son départ pour l'Angleterre. Le voyant aussi désemparé, elle avait cédé.

Jamais elle n'aurait imaginé qu'il tenterait de se suicider. De toute façon, il savait depuis le début qu'elle devait regagner Londres à la fin de son contrat. Que diable aurait-elle fait aux Etats-Unis sans travail, sans argent, sans logement ? Comme elle n'avait jamais eu l'intention d'épouser Greg, l'éventualité de s'établir à New York ne se posait pas. Elle était donc rentrée dans son pays.

Pendant une semaine, le jeune homme l'avait appelée quotidiennement, jusqu'à ce dernier coup de téléphone où elle lui avait dit très nettement, et plutôt sèchement, qu'elle ne se marierait pas avec lui. Il avait raccroché brutalement, et cette altercation avait sans doute provoqué son acte insensé. Pourtant, à présent, il ne semblait plus douter de leur union ; il n'avait pas oublié son refus. Il l'avait refoulé au plus profond de sa conscience. Pour ne pas affronter la réalité, il la façonnait à sa guise en en gommant ce qui ne lui convenait pas.

— Vous rêvez ?

La voix grave et légèrement rauque de Nick la tira soudain de ses réflexions. Elle tourna lentement la tête vers lui.

— Oh ! s'écria-t-elle, en s'apercevant que la voiture s'était arrêtée devant une superbe résidence. Je... je réfléchissais, excusez-moi.

Un sourire étira les lèvres de Nick. Il sortit pour lui ouvrir sa portière.

— Je m'en suis rendu compte, dit-il.

Olivia le suivit dans l'entrée luxueuse d'un immeuble et lui demanda sur un ton surpris :

— Vous habitez ici ?

Jamais, en effet, elle n'avait visité d'endroit aussi fastueux. Un ascenseur les emmena au dernier étage où se trouvait un appartement immense entouré d'une terrasse. Impressionnée par la décoration sobre et de bon goût, Olivia retint son souffle en y pénétrant. Une épaisse moquette beige recouvrait le sol de la pièce où elle fut introduite.

— Voulez-vous boire quelque chose ? lui proposa Nick en se dirigeant vers un bar.

— Non, merci... Vivez-vous ici tout seul ?

Il la regarda en plissant les yeux.

— Pourquoi ?

— Simple curiosité, répondit-elle en haussant les épaules.

Elle sortit sur la terrasse afin d'admirer la vue. Là, les bruits de la circulation n'étaient plus assourdis par les doubles vitrages. La ville s'étendait à ses pieds, telle une ruche en action, bourdonnante d'activité.

Elle se demandait quand Nick Baretta se déciderait à la conduire à son hôtel. Elle le rejoignait pour lui poser la question lorsque Tonino fit irruption dans la pièce.

— Où dois-je déposer la valise de Miss Courtney, patron ? s'enquit-il.

Nick la considéra avec un air moqueur.

— Dans la chambre, dit-il.

Les yeux de la jeune fille pétillèrent d'indignation.

— Mais je ne veux pas rester ici ! s'écria-t-elle, alors que Tonino pénétrait déjà dans une pièce attenante avec ses bagages.

— Non ? susurra le maître des lieux en haussant ironiquement les sourcils.

— Non !

Il se mit à rire tranquillement.

— Vous êtes encore plus belle lorsque vous êtes

en colère, murmura-t-il ensuite en se rapprochant d'elle. Vous êtes très séduisante, Miss Courtney. Je comprends pourquoi mon frère tient tellement à vous.

— N'essayez pas de détourner la conversation, répliqua-t-elle en s'efforçant de garder son calme. Je ne resterai pas ici seule avec vous : conduisez-moi immédiatement à un hôtel.

— Je préfère vous savoir ici, afin de vous surveiller plus facilement. Voyez-vous, je n'ai pas confiance en vous. Qu'est-ce qui me dit que vous n'avez pas l'intention de rentrer à Londres ? Non, Miss Courtney, vous n'irez nulle part ailleurs.

— Vous ne pouvez pas m'y obliger !

— Vous croyez ?

Le visage de Nick Baretta s'était durci. Il l'étudia brièvement en silence avant de poursuivre :

— Je crains que vous ne me sous-estimiez, ma chère. J'obtiens toujours ce que je désire, sachez-le.

— Par n'importe quel moyen, n'est-ce pas ?

— Exactement.

Il s'interrompit pour allumer tranquillement un cigare, conscient de l'extrême nervosité de la jeune fille.

— Ne vous méprenez pas, reprit-il. Je ne vous demanderai pas de partager mon lit.

Furieuse de constater qu'il lisait en elle à livre ouvert, elle rougit violemment, au grand amusement de son interlocuteur. Elle parvint toutefois à le défier du regard, tout en songeant que la meilleure conduite à adopter était d'attendre le moment propice pour lui fausser compagnie. Il ne pouvait pas la garder ici contre sa volonté. L'occasion requise lui serait peut-être fournie plus tôt que prévu, car il lui annonça :

— Je vais voir ma mère, à présent. Je serai de retour aux environs de huit heures.

Essayant de ne pas trahir l'espoir que cette nouvelle éveillait en elle, Olivia prit un air dégagé.

— Ah bon, dit-elle, le plus naturellement possible.

— Et ne bougez pas d'ici, insista-t-il. J'ai l'intention de vous emmener dîner, ce soir.

Il semblait beaucoup se divertir de la situation. Que lui importait, puisqu'elle serait déjà partie... Elle osa lui sourire.

— Je serai là, mentit-elle.

— Bien !

Et il ajouta, comme Tonino pénétrait dans la pièce :

— Tonino vous surveillera.

Il savoura l'effet de ses paroles sur la jeune fille qui ne parvint pas à dissimuler son indignation.

— Je n'y manquerai pas, patron. Je suis de bonne compagnie, vous savez, précisa-t-il à l'adresse d'Olivia.

— Tonino est mon bras droit, je vous laisse en de bonnes mains.

Nick caressa la joue de la jeune fille du bout du doigt.

— *Ciao !* lança-t-il d'une voix rauque avant de s'éclipser, la laissant seule avec Tonino.

— Voulez-vous regarder la télévision ? lui proposa ce dernier.

— Non, merci. Je préférerais me reposer un peu.

— Oh, bien sûr, les voyages en avion sont toujours fatigants.

Elle se dirigea vers la porte de la pièce où il avait déposé sa valise, et se retourna vers lui avant d'y pénétrer. Il s'installait devant le poste. Satisfaite, elle s'enferma dans la chambre.

Aussitôt, elle se précipita vers le lit où sa valise était posée, la soupesa, puis renonça à l'emporter :

elle était trop lourde. Tant pis ! Elle se contenterait de son sac à main. Sa carte de crédit lui permettrait de payer l'hôtel. Elle soupira en pensant à l'état de son compte en banque, mais il était hors de question qu'elle reste ici une minute de plus.

Avec d'infinies précautions, elle ouvrit l'autre porte de la chambre : elle donnait sur un long couloir où elle s'engagea sur la pointe des pieds. Elle arriva dans une petite entrée, en face de la porte d'un ascenseur. Elle appuya immédiatement sur le bouton d'appel, en priant pour que Tonino n'entende pas le bruit de la cabine qui arrivait.

Elle soupira de soulagement quand elle vit les étages décroître sur le tableau lumineux. Sa fuite était plus facile qu'elle ne l'escomptait... Elle songea un instant aux remontrances que le pauvre Tonino ne manquerait d'encourir de la part de son patron, mais elle balaya bien vite ce sentiment de culpabilité : elle devait avant tout se préoccuper de son sort.

Lorsque, enfin, les portes s'ouvrirent, elle s'apprêtait à bondir hors de l'ascenseur lorsqu'elle s'arrêta net en poussant un cri de stupeur. Elle n'en croyait pas ses yeux... En face d'elle, dans le vestibule de l'immeuble, se tenait Tonino, nonchalamment adossé contre le mur. Il se dirigea vers elle, le visage serein.

— Vous auriez pu m'éviter ce désagrément ! lui reprocha-t-elle, tandis qu'il la poussait doucement à l'intérieur de la cabine.

Il esquissa un geste de la main, en signe d'excuse.

— Ce n'est pas de ma faute, dit-il avec son accent italien très prononcé. Nick se doutait que vous tenteriez quelque chose. Il voulait juste vérifier que ses soupçons étaient bien fondés.

Olivia soupira.

— Vous avez dû vous amuser à observer mes

efforts inutiles ! Vous m'avez tendu la perche à dessein...

— Non, pas exactement. Nous voulions simplement savoir si nous pouvions vous faire confiance.

En pénétrant à nouveau dans l'appartement, la jeune fille avait l'impression de porter un lourd fardeau sur ses épaules. Le poids de la déception, sans doute...

— Vous vous doutiez bien que j'essaierais de m'échapper, remarqua-t-elle, en jetant son sac sur le canapé et en s'y asseyant. Après tout, je ne le connais pas !

Il lui jeta un regard étrange.

— En effet. Sinon...

Elle fronça les sourcils : le ton de Tonino l'intriguait.

— Que voulez-vous dire ? s'enquit-elle en passant une main lasse dans ses cheveux.

— Si vous le connaissiez, vous ne l'auriez pas contrarié, expliqua-t-il simplement.

Un peu plus tard, Olivia prit un bain. Elle sécha ensuite ses cheveux, et, tandis qu'elle les regardait tomber souplement autour de son visage en un nuage sombre et mouvant, une nouvelle idée germa dans son esprit. Nick la trouvait séduisante... Eh bien, elle ne paraîtrait pas sous son meilleur jour ! Elle choisirait, pour ce dîner, la tenue la moins suggestive possible.

Elle opta pour un tailleur pantalon bleu marine, à la ligne très masculine. Porté avec un chemisier blanc et une petite cravate rouge, il était plutôt strict. Ses attraits féminins s'en trouvaient atténués, mais Nick ne pourrait rien lui reprocher.

Il arriva à huit heures précises.

— Comment cela s'est-il passé ? demanda-t-il immédiatement à Tonino.

Celui-ci adressa à Olivia un regard d'excuse, puis se tourna vers son patron et lui raconta brièvement son escapade.

Nick s'approcha de la jeune fille dont les joues se colorèrent brusquement.

— Ainsi, vous avez tenté de vous échapper, remarqua-t-il d'une voix dangereusement calme.

Un instant impressionné, Olivia reprit vite le dessus. Elle releva la tête en signe de défi et déclara froidement :

— Vous le saviez parfaitement. Je n'ai pas l'intention de me plier à ce jeu stupide.

— Et où projetiez-vous de vous rendre ? A Londres, je suppose ?

Elle le regarda se servir un verre de whisky, et tenta, une fois de plus, de ne pas s'emporter.

— Je n'ai pas un cœur de pierre, comme vous semblez l'imaginer, répliqua-t-elle. J'avais simplement l'intention de chercher un hôtel pour y séjourner jusqu'au rétablissement de Greg.

— Vraiment ?

Il lui saisit brusquement le poignet et l'obligea à se lever pour lui faire face.

— Votre compassion pour mon frère me touche beaucoup !

Son visage se durcit, et il poursuivit :

— Vous croyiez peut-être que je ne me doutais pas que vous tenteriez de vous sauver ?

Avant de répondre, Olivia eut le temps de voir Tonino s'esquiver discrètement et refermer silencieusement la porte derrière lui. Comme elle aurait aimé l'imiter !

— Si seulement vous pouviez cesser de me blâmer, de me condamner sans même me connaître ! se défendit-elle. Greg savait que je ne voulais pas l'épouser. Il savait parfaitement à quoi s'en tenir depuis le début, je ne l'ai jamais laissé espérer l'impossible.

— C'est pourquoi vous refusiez de venir le voir...

Il se tenait devant elle, grand et impressionnant ; une force sourde, une puissance indomptable semblaient bouillonner en lui. En face de lui, la jeune fille se sentait infiniment vulnérable, et elle tressaillit quand il se permit de détailler avec arrogance les traits fins et délicats de son visage. Il s'approcha dangereusement d'elle, et vit, tout près, la ligne ferme et menaçante de sa mâchoire, la courbe noble et dédaigneuse de son nez.

— Puisque vous le connaissiez bien, vous deviez vous douter qu'il réagirait d'une façon plutôt théâtrale, non ?

— Peut-être, admit-elle lentement, en réfléchissant à cette remarque.

Effectivement, Greg avait toujours manifesté un goût très net pour les situations mélodramatiques, pour la grandiloquence en général. Mais de là à imaginer qu'il irait jusqu'au bout de ses extravagances...

— Si je ne voulais pas venir le voir, ce n'est pas pour la raison que vous invoquiez, ajouta-t-elle.

— Oh ? s'étonna-t-il ironiquement.

Olivia lui jeta un regard irrité.

— C'est votre attitude qui me déplaisait...

— Mon attitude ?

— Votre arrogance, votre prétention insupportable, rétorqua-t-elle en dégageant d'une secousse son poignet qu'il retenait toujours prisonnier. Vous vous êtes permis de me dicter ma conduite, de me juger sans même m'écouter.

— Je croyais, au contraire, m'être montré patient avec vous, Miss Courtney. Mon frère se mourait à cause de vous, et vous vouliez que je sois souriant ?

— Souriant ! Savez-vous seulement ce que ce mot veut dire ?

Il serra les dents et, soudain, il glissa un bras d'acier autour de la taille de la jeune fille et la plaqua contre lui.

— Laissez-moi vous dire une chose, ma chère Olivia. Vous ne seriez peut-être pas là si vous n'étiez pas aussi désespérément belle.

Elle essaya de se dégager, mais il la maintenait fermement. Une flamme de colère dansait dans ses yeux bleus, et elle le fusilla du regard, consciente du corps de Nick qui frémissait au contact du sien.

— Vous savez, murmura-t-il, je crois que je vous désire, moi aussi, au point de commettre une folie.

— Vos désirs m'indiffèrent ! Vous ne me faites pas peur !

— En êtes-vous bien sûre ? articula-t-il entre ses dents.

Il la scruta un instant en silence, puis il insinua ses deux mains sous la veste de la jeune fille afin de caresser doucement son dos sans le rempart de l'étoffe. Seul son fin chemisier la protégeait du contact de ses paumes qui la brûlaient pourtant, dans une subtile torture. Malgré l'affolement qui s'emparait d'elle, Olivia demeura de marbre.

— Quelle maîtrise de soi ! commenta-t-il sardoniquement.

— Lâchez-moi, monsieur Baretta, ou je hurle.

— Hurlez, je vous en prie, invita-t-il doucement, tandis qu'une de ses mains s'aventurait sur le col sagement fermé du chemisier d'Olivia. Si cet accoutrement était destiné à me tenir à distance, c'est raté...

Prenant une mine offensée, elle haussa les sourcils avec dédain.

— Vous vous flattez, mon cher. Je porte cet

ensemble parce qu'il me plaît ; votre opinion m'importe peu, sachez-le.

Il sourit.

— Vous ne m'en voudrez donc pas si je vous donne mon avis ?

— Pas du tout, répondit-elle, furieuse de se trouver obligée de l'écouter sans pouvoir déjouer sa réplique par un argument incisif.

— Eh bien, quand je vous vois dans ce tailleur, j'ai envie de vous dévêtir...

Un bref silence suivit cet aveu, durant lequel il observa les lèvres de la jeune fille, les yeux mi-clos. Quant à elle, elle fulminait.

— Lâchez-moi ! répéta-t-elle.

— Il n'en est pas question, assura-t-il en abaissant inexorablement sa bouche vers celle d'Olivia.

Il s'empara de ses lèvres avec l'arrogance qui le caractérisait, sauvagement. Elle se débattit furieusement, martelant sa poitrine de ses poings, mais il resserra son étreinte et affermit son baiser. Ivre de rage, elle se démena de plus belle pour lui échapper, mais il était beaucoup trop fort pour elle. Comprenant que de cette façon elle n'obtiendrait rien, elle eut recours à une ruse bien plus subtile. Discrètement, elle leva sa jambe gauche, et, d'un coup sec, elle appliqua son talon aiguille sur le pied de Nick Baretta.

Il émit une plainte étouffée, et la relâcha enfin sous l'effet du coup, mais ses yeux étincelaient de fureur.

— Ne me touchez pas ! s'écria-t-elle aussitôt.

Elle saisit l'objet le plus proche, un bibelot en onyx noir, et le brandit comme une arme, menaçant son agresseur.

— Ne m'approchez pas, sinon je n'hésiterai pas, menaça-t-elle.

Il la considéra, étonné, l'espace d'un instant. Une

rage froide déformait ses traits, et la jeune fille retint sa respiration.

Soudain, contre toute attente, il éclata de rire :

— Très bien, abdiqua-t-il en hochant la tête. Vous marquez un point.

Il enfouit ses mains dans ses poches et regarda son pied avec un air amusé.

— J'espère seulement que vous ne m'avez rien cassé ! plaisanta-t-il.

Olivia soupira de soulagement, puis, avisant l'objet dans sa main, elle découvrit qu'il s'agissait d'un gros presse-papier. « Heureusement, il ne s'y est pas frotté ! » se dit-elle avec une pointe d'humour, en le reposant.

— J'ai retenu une table au *Lutèce* pour neuf heures, annonça-t-il en passant une main dans ses cheveux noirs pour les remettre en place. Etes-vous prête ?

Elle l'observa brièvement avant de répondre tranquillement :

— Allons-y.

Pour la première fois, il lui sourit sans ironie, déployant un charme inattendu qui la troubla plus que de raison.

— Donnez-moi quelques minutes pour me changer, dit-il en se dirigeant vers sa chambre.

« Quel homme imprévisible », songea-t-elle. Les humeurs les plus changeantes se manifestaient en lui, tantôt agressives, tantôt souriantes... Pourquoi adoptait-il envers elle un comportement aussi inexplicable ?

3

Un dais de toile bleue et blanche surplombait l'entrée du *Lutèce*. Une volée de marches de bois ciré menait au restaurant admirablement meublé, s'ouvrant sur une terrasse d'où s'échappait une brise légère et parfumée de senteurs de nombreuses fleurs qui l'égayaient. Cet endroit d'une élégance raffinée impressionnait un peu Olivia, mais elle s'efforça de n'en rien laisser paraître tandis qu'elle traversait la salle avec Nick, en direction de la table qui leur était réservée. Elle décida d'ignorer les regards des femmes qui convergeaient vers son compagnon lorsqu'il s'assit avec une aisance et une virilité félines.

Olivia choisit un melon, en hors-d'œuvre, et, quand on le déposa devant elle, Nick lui demanda :

— Vous suivez un régime ?

— Oui, acquiesça-t-elle, à cause de mon métier. Je dois garder ma ligne.

Il sourit nonchalamment et l'observa avec un air indéchiffrable qui provoqua en elle un trouble étrange.

— Mes compliments, dit-il en levant son verre. Votre silhouette est irréprochable.

Olivia rougit et détourna les yeux. Durant le reste du dîner, la conversation se maintint sur des sujets impersonnels, mais une tension invisible et silencieuse meublait tous leurs silences.

— Dites-moi, s'enquit-il tout à coup, quand ils en furent au dessert. Pourquoi avez-vous choisi un aussi mauvais moment pour rompre avec Greg ?

Elle poussa un profond soupir et fronça les sourcils.

— Il pensait que je finirais par l'aimer. Quand il a compris que c'était impossible, j'ai cru qu'il renonçait, et je suis rentrée en Angleterre...

— Et il tentait de se suicider, continua Nick sur un ton glacial. Naturellement, vous vous en moquiez.

— Mais bien sûr que non ! Seulement, je n'ai pas soupçonné une seule seconde qu'il en arriverait là.

— Et pourtant, c'est bien ce qu'il a fait, lui rappela-t-il. Comment croyiez-vous qu'il réagirait ?

Olivia lui lança un regard étincelant de colère.

— Pas de cette façon-là ! répliqua-t-elle. J'espérais qu'il essaierait de m'oublier, qu'il chercherait à rencontrer quelqu'un d'autre.

— Non, vous saviez exactement combien vous l'aviez blessé. Jouer avec les sentiments d'un homme est un jeu très dangereux, Miss Courtney.

— Mais je ne jouais pas ! Je ne lui ai pas menti, je vous l'ai déjà dit ; pourtant, vous vous acharnez à noircir mes intentions.

Un bref silence suivit. Le cœur d'Olivia battait à tout rompre, car cet homme l'effrayait. Il semblait déterminé à la punir, à venger son frère... En tout cas, il ne lui pardonnait pas d'avoir causé un tel chagrin à Greg.

Lorsqu'il l'observait comme en ce moment, elle devenait une faible créature menacée par un prédateur... S'appuyant contre le dossier de sa chaise, elle soutint le regard vrillé sur elle en songeant que malgré toute la violence contenue qui couvait en

Nick Baretta, il émanait de lui une sensualité hors du commun. Il la désirait, mais il voulait aussi lui faire mal...

Ils rentrèrent à minuit, et, avec la nuit, le malaise d'Olivia se transforma en angoisse. Lorsqu'ils pénétrèrent côte à côte dans l'appartement, un frisson glacé lui parcourut le dos.

— Je me lève tôt demain, annonça Nick en accompagnant la jeune fille à la chambre qu'il lui avait attribuée. Alors, je vous dis bonsoir.

Ces mots surprirent Olivia tout en la soulageant.

— Oh, répondit-elle. Eh bien, bonsoir.

— Soyez sage, demain, sinon... gare à vous ! menaça-t-il doucement en lui caressant la joue du bout du doigt.

— Ne craignez rien ! se hâta-t-elle de répliquer, troublée par son geste, et surtout par sa propre réaction.

— Je vois que nous commençons à nous comprendre. De toute façon, il est dans votre intérêt de rester raisonnable.

Il prit son menton dans sa main et l'obligea à tourner la tête vers lui, faisant onduler les cheveux de la jeune fille en une vague mouvante.

— Ne me sous-estimez pas parce que je vous ai emmenée dîner, ajouta-t-il.

— Je m'en garderais bien, assura-t-elle prudemment.

— Bon, dit-il en souriant.

Il s'inclina lentement vers elle et posa ses lèvres sur celles d'Olivia qui tremblait. A sa grande honte, elle devait admettre que cet homme détenait un pouvoir sur ses sens : il éveillait en elle une émotion indéfinissable. Son baiser se fit tout à coup plus insistant. Nick enroula un bras autour d'elle afin de la serrer contre lui. Il la tint ainsi pendant un bref instant, tandis que sa bouche devenait plus exigeante, plus gourmande ; puis soudain, il la relâcha.

Olivia retint sa respiration et le regarda, incrédule.

— Bonne nuit, Miss Courtney. Nous nous verrons demain soir.

Il l'étudia avec un air menaçant avant d'ajouter :

— Et... je vous conseille de vous trouver là.

Sur ce, il tourna les talons et partit dans sa chambre, la laissant interdite, en proie à la plus grande confusion.

Il était onze heures lorsque Olivia s'éveilla, le lendemain matin. Surprise d'avoir dormi si tard, elle se leva en hâte et revêtit un jean et une blouse de soie blanche quand elle eut terminé sa toilette. Elle se rendit ensuite à la salle à manger où elle eut le plaisir de constater qu'il n'y avait personne. Elle entrevit alors une lueur d'espoir. Et si Nick l'avait laissée seule, ici ? Sans doute pourrait-elle s'échapper sans trop de difficultés...

Malheureusement, ses projets se trouvèrent vite réduits à néant : une porte s'ouvrit derrière elle, et Tonino entra.

— Oh, c'est vous ! s'exclama-t-elle, déçue de découvrir que l'on n'avait pas renoncé à la faire surveiller. Où est M. Baretta ?

Tonino mit les mains dans les poches de son élégant costume croisé bleu-gris.

— Il est parti travailler. Voulez-vous déjeuner ? Je viens de descendre à la pâtisserie.

Olivia secoua la tête.

— Non, merci, je prendrai seulement du café.

— Très bien, répondit son compagnon en se dirigeant vers la cuisine.

La jeune fille le suivit dans la pièce, claire et

agréable, où elle s'assit sur un tabouret pendant que Tonino lui tendait une tasse de café odorant à souhait. Il ouvrit ensuite un petit sac en papier blanc.

— Qu'est-ce que c'est ? s'enquit-elle en se penchant pour apercevoir des petits gâteaux dorés et fort appétissants.

— Voulez-vous goûter ? proposa-t-il aimablement. Ils sont très bons.

Olivia allait refuser, comme à son habitude, mais apparemment, Tonino venait d'acheter ces gourmandises à son intention, aussi se ravisa-t-elle. Deux fossettes creusèrent ses joues lorsqu'elle lui sourit :

— D'accord, dit-elle. J'ai faim, maintenant !

Le visage de l'homme s'illumina aussitôt, et il s'appliqua à disposer les galettes dans une assiette avec empressement.

Ils se rendirent à l'hôpital en fin d'après-midi. La jeune fille s'efforça d'entretenir la conversation avec Tonino. Rusée, elle estimait préférable d'amadouer l'ennemi, plutôt que de le heurter.

Greg se réjouit dès qu'il la vit. Des bouquets de fleurs étaient disposés un peu partout dans sa chambre. Il s'assit immédiatement sur son lit pour accueillir ses visiteurs. Olivia constata qu'il avait meilleure mine.

— Nick ne t'accompagne pas aujourd'hui ? Il doit travailler, comme toujours.

La métamorphose du jeune homme amusait son amie ; il était bien plus en forme que la veille, mais la pâleur de ses joues lui rappelait qu'elle ne pouvait pas encore l'abandonner.

Elle s'assit au bord de son lit.

— Tu vas déjà beaucoup mieux, lui dit-elle. Tu seras bien vite rétabli.

Greg lui prit la main, et, avec un petit sourire espiègle, il lui demanda :

— Ai-je droit à un baiser ?

Le cœur d'Olivia se serra : feindre un sentiment qu'elle n'éprouvait pas lui répugnait. Pourtant, elle se pencha et l'embrassa légèrement sur le nez.

Greg grimaça.

— Tonino ! lança-t-il. Retourne-toi. Tu intimides ma fiancée.

Tonino s'exécuta, mais avant de montrer son dos, il jeta un regard éloquent à la jeune fille. Elle comprit alors qu'il savait tout.

Lorsque Greg la prit dans ses bras, elle se prêta au jeu tout en fulminant secrètement contre Nick Baretta. Tout cela était sa faute. A quoi rimait cette comédie ?

Ils restèrent deux heures en compagnie du jeune malade, puis Olivia pria Tonino de l'emmener faire des courses.

Il la conduisit sur la Cinquième Avenue qu'ils parcourent à pied, après avoir garé la voiture. Olivia n'avait pas choisi ce quartier au hasard ; elle le connaissait parfaitement, de même que les nombreux magasins devant lesquels elle flânait, escortée par son geôlier. L'occasion qu'elle guettait se présenta enfin. A travers les vitrines du rez-de-chaussée d'un grand magasin, elle aperçut un policier.

— Entrons, voulez-vous ? demanda-t-elle à Tonino.

— Bien sûr. Pourquoi pas ?

Amusé par son enthousiasme, il la suivit dans les rayons où elle feignait de s'intéresser à des robes qu'elle ne regardait même pas. Un seul dessein guidait ses pas : se rapprocher du représentant de la loi sans éveiller les soupçons de son compagnon.

Soudain, elle s'aperçut que l'agent de police s'apprêtait à sortir...

— J'aimerais essayer celle-ci, dit-elle vivement à Tonino. J'en ai pour une minute.

— D'accord, acquiesça-t-il en s'approchant du rayon des cravates.

Sans perdre une minute, Olivia se fraya un chemin à travers la foule des clients.

— Monsieur l'agent ! s'écria-t-elle dès qu'elle l'eut rejoint, en jetant un coup d'œil derrière elle. Pourrais-je vous parler ?

— Un peu étonné, le policier l'accueillit néanmoins avec un sourire.

— De quoi s'agit-il, jeune fille ?

— On me retient contre ma volonté dans un appartement tout proche d'ici, expliqua-t-elle d'un trait en baissant la voix. Un homme me surveille, ici, et je voudrais m'en débarrasser. Pouvez-vous m'aider ?

Etonné, le policier fronça les sourcils. Il semblait partagé entre le sens du devoir et le doute ; cette jeune personne avait-elle toute sa raison ?

— Etes-vous sérieuse ? lui demanda-t-il, en regardant alentour.

C'est alors qu'il sembla reconnaître quelqu'un.

— Oh, bonjour monsieur Corelli ! s'exclama-t-il.

Le cœur d'Olivia ne fit qu'un bond : Tonino se tenait tranquillement à ses côtés, à présent.

— Quelque chose ne va pas ? s'enquit ce dernier avec son accent chantant.

— Cette dame, répondit l'agent de police avec un petit sourire, prétend être... prisonnière. Elle est avec vous ?

— Elle est l'invitée de M. Nick Baretta, répondit lentement Tonino.

Olivia sentit tout espoir s'échapper lorsqu'elle vit le policier changer de visage.

— Oh, dans ce cas, s'inclina-t-il.

Il retira respectueusement sa casquette avant d'ajouter :

— Il n'y a aucun problème. Bien le bonjour à votre patron !

Puis il s'éloigna, sous le regard désespéré de la jeune fille. Sans mot dire, Tonino lui prit le bras, lui fit déposer la robe et l'entraîna hors du magasin. Impuissante, Olivia se contentait de dominer sa rage. Il l'aida à s'installer dans la voiture avant de se mettre au volant.

— Vous n'auriez pas dû faire cela, déclara-t-il au bout d'un moment. Il n'appréciera pas votre geste.

Ce fut avec une appréhension croissante qu'Olivia attendit le retour de Nick, ce soir-là. Assise dans un fauteuil de velours beige, elle guettait, dans le silence seulement troublé par le tic-tac régulier de l'horloge, le bruit de ses pas. Elle s'en voulait de redouter ainsi la réaction de cet homme. Après tout, il ne pouvait l'obliger à rester là ! Installé en face d'elle, Tonino lisait.

— Devez-vous absolument le lui dire ? lui demanda-t-elle.

Tonino abaissa son journal et leva la tête.

— Que feriez-vous, à ma place ?

La jeune fille arrachait machinalement des petits bouts de fil qui s'échappaient des coutures de l'accoudoir.

— Vous m'en voulez ? s'enquit-elle.

— Là n'est pas la question. En revanche, M. Baretta sera furieux.

A ce moment-là, la porte s'ouvrit derrière eux et Nick fit irruption dans la pièce.

— Pourquoi serai-je furieux, Tonino ?

Comme il n'obtenait pas de réponse, il s'avança vers eux, les mains dans les poches.

— Alors ? insista-t-il.

Tonino se leva, plia son journal et le posa sur la table.

— Elle a encore essayé de s'échapper, avoua-t-il.

— Tiens tiens ! Quelle surprise ! s'exclama le maître des lieux avec un sourire ironique.

Il ôta sa veste, la déposa sur le dossier d'une chaise et se dirigea vers le bar où il se servit un whisky.

— J'ai besoin de boire quelque chose, déclara-t-il. J'ai eu une rude journée. Ainsi, continua-t-il, en avalant une gorgée, vous avez de nouveau tenté de vous enfuir malgré mes recommandations.

Olivia se contenta de lui lancer un regard chargé de mépris.

— Je crois qu'il est temps de discuter sérieusement, Miss Courtney.

Elle s'attendait à un éclat, et ces mots la surprirent.

— Café pour mademoiselle, Tonino ! commanda Nick.

Tonino s'esquiva silencieusement.

— A quel sujet ? s'enquit Olivia, déterminée à ne pas se laisser abuser par l'apparente bonne humeur de son hôte.

Il s'approcha d'elle et lui saisit le poignet de ses longs doigts minces. Puis il la tira vers lui, l'obligeant à se lever. Elle ne protesta pas lorsqu'il l'entraîna jusqu'au canapé où ils s'installèrent côte à côte.

— Mon frère croit que vous allez l'épouser, commença-t-il. En ce qui me concerne, j'en doute ; alors, qu'en est-il exactement ?

— Je ne l'aime pas, répliqua-t-elle, irritée. Pourquoi l'épouserais-je dans ces conditions ?

Agacée, Olivia secoua la tête, faisant danser la lumière dans ses cheveux bruns, et poursuivit :

— Monsieur Baretta, c'est vous qui m'avez ramenée près de Greg. Si vous vous en étiez abstenu, il m'aurait oubliée. A cause de vous, il croit maintenant que je suis là parce que je l'aime. S'il souffre une seconde fois, ce sera de votre faute, pas de la mienne.

— Si je comprends bien, vous ne vous marierez pas avec lui ?

— Non.

Elle le considéra avec défiance. Un instant, elle avait cru qu'il voulait l'intimider, l'effrayer pour l'amener à épouser son frère. Heureusement, il n'en était rien.

— Il faut donc que nous lui annoncions la nouvelle.

— Il l'apprendra bien, tôt ou tard, dit-elle.

Nick lui sourit, et le cœur d'Olivia chavira sous l'effet de son charme.

— Le plus tard sera le mieux, à mon avis, estima-t-il.

— Je n'en suis pas si sûre...

Elle se trouvait confrontée à une situation sans issue. Greg avait déjà beaucoup souffert, mais comment lui épargner un nouveau chagrin, à présent ?

— Peut-être avez-vous raison, accorda-t-elle.

Les yeux gris de Nick se posèrent froidement sur elle.

— Je crois que je commence à changer d'avis sur votre Miss Courtney. Je pensais que vous aviez un bloc de glace à la place du cœur, mais je me suis trompé.

— Comme vous voilà aimable !

— Mais je suis très aimable... murmura-t-il en se rapprochant d'elle.

Son regard glissa sur les lèvres de la jeune fille, comme une caresse.

— Et je reconnais toujours mes erreurs, ajouta-t-il en laissant courir ses mains sur les épaules d'Olivia qui ne put s'empêcher de frémir au contact de ses doigts.

— Je... je suis contente que vous soyez revenu sur votre jugement, balbutia-t-elle.

Nick l'étudiait attentivement.

— Vous êtes remarquablement belle, Olivia, souffla-t-il d'une voix rauque.

— Tonino risque de revenir d'une minute à l'autre, chuchota-t-elle, alarmée par la sensualité qui animait son regard.

— Au diable Tonino, répondit-il en la serrant davantage contre lui.

Eperdue, Olivia ferma inconsciemment les yeux, en rejetant sa tête en arrière. Alors, il posa sur sa bouche des lèvres chaudes, tendres, lui infligeant un baiser tout d'abord léger, délicat, puis de plus en plus exigeant. En proie à la plus grande confusion, la jeune fille ne protesta pas lorsqu'il l'allongea doucement sur le canapé.

Vaincue, elle lui rendit son baiser, enfouissant ses doigts dans les cheveux sombres de Nick.

Soudain, il releva la tête.

— Oui, j'aurais pu aisément me persuader que je me trompais à votre sujet, dit-il sèchement.

Ces mots traversèrent brutalement l'esprit embrumé d'Olivia. Elle ouvrit les yeux.

— Vous croyiez réellement me duper en jouant ce petit jeu ? ajouta-t-il, cynique. Je ne suis pas idiot, Miss Courtney. Comment pourrais-je oublier que vous détruisez Greg ?

Soudain glacée, elle le regarda, perplexe. Lui aussi jouait à un petit jeu, avec elle. Pourquoi ? Elle n'en comprenait pas la raison.

— Malgré toute la défiance que vous m'inspirez, reprit-il, je ne vous trouve pas moins attirante...

Il l'emprisonna dans ses bras et ses mains s'aventurèrent dangereusement vers la gorge de la jeune fille.

— Je voudrais une place dans votre lit, pas dans votre cœur, jeta-t-il.

Furieuse, elle se débattit pour lui échapper mais il n'eut qu'à resserrer son étreinte pour lui imposer l'immobilité. Il était beaucoup trop fort.

— Je dirai tout à votre frère ! s'écria-t-elle, en désespoir de cause.

Nick se mit à rire, mais son rire avait des résonances dangereusement menaçantes.

— Vous... vous êtes ignoble ! cria-t-elle, ulcérée. Lâchez-moi !

Au lieu de cela, il laissa courir un doigt sur sa joue, puis sur ses lèvres et le long de son cou.

— Savez-vous pourquoi je ne vous crois pas ? Mon frère possède une grosse fortune, Miss Courtney, et vous le savez parfaitement. Vous êtes partie parce que vous le saviez fou de vous et déterminé à vous attendre. Jamais vous n'avez voulu rompre, mais seulement prendre un peu l'air... L'argent confère le pouvoir, et le pouvoir attire les femmes. J'ai une très grande expérience des trois, et je sais reconnaître celles qui se laissent séduire par l'argent.

Outrée, la jeune fille retint sa respiration, et, d'un geste prompt, elle le gifla de toutes ses forces ; le soufflet claqua sur sa joue.

Sous l'effet de la surprise, il se recula vivement. Mais bientôt, la colère déforma ses traits. Pourtant, Olivia n'en conçut aucune crainte. Elle se réjouissait au contraire d'avoir ébranlé un instant sa belle assurance.

Il la prit brutalement par les épaules et la plaqua contre lui. Elle tenta de le repousser, mais il s'empara de ses lèvres et lui infligea un baiser sauvage, destiné à la punir. Elle suffoqua, luttant de plus belle pour se dégager.

Ce fut Tonino qui mit fin à son supplice. Il entra dans la pièce, et Nick se retourna brusquement, prêt à le congédier. Mais le téléphone sonna ; il sembla se résigner.

— Réponds, tu veux ? dit-il à son assistant qui s'exécuta aussitôt.

Olivia s'était déjà relevée, remerciant le ciel de lui avoir envoyé ce sauveteur inespéré.

Tonino parlait dans un italien rapide et saccadé auquel la jeune fille ne comprenait rien. Il se tourna vers Nick qui fronça les sourcils. Tout à coup, le bruit d'une détonation retentit dans l'appareil. Les deux hommes se regardèrent.

— *Noi veniamo !* cria Tonino avant de raccrocher. Vous avez entendu ? demanda-t-il à son patron.

— J'ai entendu.

Olivia devina que quelque chose de grave se passait.

— Qu'y a-t-il ? s'enquit-elle.

— Je dois partir, répondit Nick. Va chercher la voiture, commanda-t-il à Tonino, avant d'aller prendre sa veste.

— Qu'est-il arrivé ? questionna encore Olivia.

— Un de mes gardiens a des ennuis, expliqua-t-il laconiquement en jetant un coup d'œil à sa montre. J'ignore combien de temps cela me prendra.

— Puis-je faire quelque chose pour vous aider ? proposa-t-elle impulsivement.

— Non.

Il se dirigea vers la porte et se retourna avant de sortir.

— Contentez-vous de ne pas bouger d'ici, ajouta-t-il. Et surtout, n'ouvrez à personne. A personne, Olivia, comprenez-vous ?

— Mais que diable se passe-t-il ?

Nick sembla hésiter.

— Je vous expliquerai plus tard, décida-t-il finalement. Et surtout, soyez là à mon retour.

Sur ce, il sortit.

La vitesse à laquelle s'étaient déroulés les derniers événements décontenançait Olivia. Tout à coup, elle se demanda si Tonino n'allait pas revenir et rester près d'elle afin de s'assurer qu'elle ne s'échapperait pas. Elle courut vers la fenêtre. La limousine noire sortait du garage : deux silhouettes se dessinaient à l'avant de la voiture.

Animée d'un espoir inespéré, elle regagna sa chambre, rassembla ses affaires et se précipita vers la porte : elle était fermée à clef. Elle eut beau lever, baisser, tirer, tourner le loquet, elle dut se rendre à l'évidence.

Refusant de capituler, elle essaya d'ouvrir toutes les autres portes donnant sur le palier. Aucune ne céda.

Furieuse, elle martela le dernier battant de ses poings. Nick se moquait d'elle ! Pourquoi lui avait-il ordonné de rester là, puisqu'il savait pertinemment qu'elle ne pouvait faire autrement ?

Et... Le téléphone !... Hélas, elle ne connaissait personne à New York. Et qui accepterait de venir délivrer une jeune fille enfermée chez le célèbre et vénéré Nick Baretta ?...

4

Olivia attendit jusqu'à une heure du matin, puis, lasse de guetter le moindre bruit dans le silence de la nuit, elle quitta le fauteuil où elle s'était installée, et alla se coucher. Elle se sentait complètement prise au piège. Un instant, elle pensa tout raconter à Greg, mais la stupidité de ce projet lui apparut alors même qu'elle l'élaborait : le jeune homme n'allait pas encore assez bien pour supporter une telle révélation. De toute façon, la perspective de dresser les deux frères l'un contre l'autre ne lui souriait guère.

Les paupières closes, elle chassa résolument toute pensée de son esprit et finit par glisser dans le sommeil.

Elle fut réveillée un peu plus tard quand un bruit, provenant apparemment de la pièce voisine, la fit sursauter. Comme une somnambule, elle se leva. Elle enfilait son déshabillé lorsque la porte de sa chambre s'ouvrit devant Nick Baretta. Il chercha l'interrupteur puis alluma.

Il regarda un instant la jeune fille ; il sembla soulagé de la trouver là, son visage se détendit imperceptiblement.

— Ravissante, dit-il d'une voix traînante en s'attardant sur la silhouette qui se dessinait à travers le tissu léger du déshabillé. Est-ce là votre façon de me souhaiter la bienvenue ?

Clignant des yeux à cause de la lumière, Olivia resserra contre elle les pans de son vêtement.

— Je déteste les oiseaux de nuit, et je ne les ai jamais bien accueillis.

Nick sourit, révélant l'alignement parfait de ses dents blanches. Il détaillait maintenant les courbes douces de sa poitrine.

— Vous m'avez enfermée ! s'écria-t-elle. Pourquoi ?

— Devinez !

— Vous n'aviez pas besoin de faire cela. Vous m'auriez retrouvée et ramenée, de toute façon.

— Je vois que vous commencez à me connaître, Miss Courtney. Mais changeons de sujet, pour l'instant.

Il s'avança lentement vers elle.

— Vous dormiez ? s'enquit-il.

— Oui... Pourquoi ?

Au lieu de répondre, il se mit à contempler son visage, sa peau fine, débarrassée de toute trace de maquillage, ses cheveux brillants qui retombaient en vagues souples sur ses épaules.

— Je crains de ne plus pouvoir attendre plus longtemps de vous trouver près de moi, le matin, quand je me réveille... murmura-t-il d'une voix rauque.

Irritée, Olivia se raidit.

— Eh bien, armez-vous de patience ! Vous risquez d'en avoir besoin, riposta-t-elle.

Il se mit à rire.

— Parfait ! Je préfère lutter pour obtenir ce que je convoite, mon désir s'en trouve... décuplé.

Elle sentit ses joues s'enflammer et détourna les yeux.

— Pourquoi êtes-vous parti si vite, tout à l'heure ?

demanda-t-elle afin de détourner la conversation. Qu'est-il arrivé ?

— Des malfaiteurs sont entrés par effraction dans l'un de mes bureaux. J'ai crains que mon gardien n'ait été blessé — vous avez dû entendre le coup de feu dans le téléphone — mais ses jours ne sont pas en danger. Votre curiosité est-elle satisfaite ?

Olivia acquiesça en essayant de ne pas trahir la nervosité que la présence de cet homme éveillait en elle.

— Je suis fatiguée, dit-elle doucement, dans l'espoir de le voir partir. Bonne nuit...

Un sourire sardonique étira la bouche de son visiteur.

— Eh bien, bonne nuit, Miss Courtney, répondit-il en faisant volte-face pour sortir de la chambre.

La jeune fille soupira de soulagement. Elle craignait qu'il ne tente de la séduire, mais en réalité, ses propres réactions l'inquiétaient davantage. Aurait-elle pu résister à la caresse subtile de ses lèvres fermes, à la torture exquise de ses mains expérimentées ?

Plus tôt elle partirait, mieux cela vaudrait...

Elle se remit au lit et enfouit sa tête dans l'oreiller. Dès que Greg serait rétabli, elle s'enfuirait le plus loin possible de Nick Baretta.

Olivia occupa les jours suivants à rendre visite à Greg, à l'hôpital. Nick se trouvait rarement à l'appartement, et lorsqu'il y était, lorsqu'elle discutait avec lui, une tension invisible la rendait irrémédiablement nerveuse, fébrile. Dès qu'il s'approchait d'elle, son cœur se mettait à battre la chamade. Parfois, elle le surprenait à l'observer, les yeux mi-clos mais le regard intense, et un long frisson la parcourait alors.

Un jour, Greg lui parla de leur futur mariage.

Assise au bord de son lit, la main du jeune homme dans les siennes, elle se mit à haïr Nick Baretta plus passionnément que jamais. Il l'obligeait à mentir, à se fourvoyer dans une situation des plus délicates.

Un après-midi, elle téléphona à Alistair. Comme à l'accoutumée, il semblait tracassé, survolté.

— Olivia ! s'écria-t-il aussitôt. Où es-tu ? Voilà une semaine que je n'ai aucune nouvelle de toi !

— J'ai été un peu... bousculée.

— Tu aurais tout de même pu appeler plus tôt ! grommela Alistair.

Olivia l'imaginait aisément en train de malmener un quelconque stylo, ou le coin d'un cahier.

— Tu m'abandonnes, reprit-il, et moi, je dois me débrouiller seul avec tout ça.

— Avec tout quoi ? s'enquit-elle patiemment.

— Oh, inutile de tourner autour du pot. L'annulation de notre contrat m'a fait perdre beaucoup d'argent. Mon agence est au bord de la faillite.

La jeune fille se raidit, retenant sa respiration.

— Alistair ! Pourquoi ne m'avoir rien dit ? s'exclama-t-elle, incrédule.

— Tu ne m'as rien demandé non plus. J'espérais que notre contrat avec Montoux me permettrait de remonter la pente, mais ils ont ébruité la nouvelle de l'annulation, et cela ne m'a pas fait de la publicité. Bref, nous sommes en pourparlers avec une importante société disposée à nous acheter. Les accords sont presque signés.

Olivia se mordit les lèvres. Nick était responsable de tout cela !

— Mais ne t'inquiète pas, continua Alistair, je garde mon poste. J'aurai simplement quelqu'un audessus de moi.

— Je suis désolée ; je n'imaginais pas que les choses allaient si mal.

— Oublie cela. Après tout, cet arrangement me sera peut-être bénéfique. Côtoyer des professionnels m'apportera inévitablement de nouvelles idées.

Ces constatations ne rassurèrent pas la jeune fille. Elle connaissait trop bien Alistair pour ignorer qu'il supporterait difficilement de recevoir des ordres.

Ils discutèrent encore quelques minutes pendant lesquelles Olivia s'appliqua à éviter d'évoquer Nick Baretta. Elle nourrissait un trop grand ressentiment contre cet homme qui avait ruiné l'agence, et, probablement, sa carrière.

Elle passa le reste de la journée avec Tonino qui la conduisit à l'hôpital, puis dans les magasins où elle désirait acquérir quelques menus effets. De retour à l'appartement, il annonça d'un ton jovial :

— Je vais vous préparer le meilleur repas que vous ayez jamais eu l'occasion de déguster ! Mais c'est une surprise, alors, vous restez ici, dit-il en disparaissant dans la cuisine.

Olivia se rendit docilement dans la salle de séjour et se plongea dans l'un des magazines qu'elle venait d'acheter. Elle avait décidé d'entretenir avec Tonino des rapports plus amicaux, et se félicitait d'y être apparemment parvenue.

Trois quarts d'heure plus tard, il reparut avec un sourire triomphant : il brandissait avec fierté un plat de spaghetti à la bolonaise artistiquement présentés.

La jeune fille s'empressa de s'installer à table.

— Délicieux ! s'exclama-t-elle dès qu'elle y eut goûté.

— Non ! s'écria brusquement Tonino avec un air horrifié. Pas comme ça ! Je vais vous montrer.

Il s'assit en face d'elle et lui donna un cours sur l'art et la manière de manger des spaghetti avec sa fourchette et sa cuillère. La jeune fille suivit consciencieusement ses conseils et parvint au but, après quelques maladresses, sous l'œil satisfait de son professeur qui servit deux verres de Lambrusco pour accompagner le tout.

— Ma fiancée, lui avoua-t-il au bout d'un moment, réussit les meilleurs spaghetti de toute la Sicile.

— Ainsi vous êtes sicilien, Tonino ? Et Nick ? Il est aussi d'origine sicilienne ?

— Bien sûr ! Toute la famille de Nick est sicilienne, vous ne le saviez pas ?

Non, elle ne le savait pas. A vrai dire, elle ne s'était jamais posé la question. Pour elle, ils étaient simplement nés à New York, mais d'origine italienne.

Nick rentra au moment où ils finissaient de dîner. Il pénétra dans la pièce en se frottant la nuque, visiblement fatigué.

— Je suis épuisé, marmonna-t-il en accordant un bref sourire à Tonino. Il reste du café ? lui demanda-t-il.

— Oui, répondit-il en désignant la cafetière posée sur la table chinoise.

Nick alla chercher une tasse à la cuisine, revint se servir et s'installa dans un fauteuil pour déguster tranquillement le breuvage réconfortant.

— Comment va Greg ? interrogea-t-il tout à coup, s'adressant à Olivia.

— Beaucoup mieux, répondit-elle.

Sa conversation avec Alistair lui revint brusquement en mémoire, et elle ajouta :

— Quand pensez-vous que je pourrai rentrer chez moi ?

— Je n'ai encore rien décidé.

— Vous ne me garderez pas ici indéfiniment, s'irrita-t-elle. J'ai une famille à Londres, et un métier aussi.

— Ah, oui... votre carrière.

— Vous savez pertinemment que je dois gagner ma vie. Ce n'est pas en restant à New York que je paierai mon loyer.

Nick se leva, la mine sombre, puis se dirigea vers la fenêtre. Là, il regarda distraitement au-dehors. Il tournait résolument le dos à la jeune fille que la colère commençait à gagner. Cet homme se moquait de sa vie, de ce qu'elle laissait derrière elle !

— Je paierai votre loyer, annonça-t-il froidement, sans daigner la regarder. Dites-moi ce que vous devez, et j'enverrai un chèque.

Olivia reposa vivement sa tasse qui claqua dans la soucoupe.

— Il n'en est pas question ! refusa-t-elle sèchement ; ulcérée. Je veux rentrer chez moi et reprendre mon travail.

Il se retourna soudain : une flamme de colère incendiait ses yeux.

— Votre métier occupe décidément une place capitale dans votre vie ! Il est donc si important pour vous de vous exhiber à moitié nue sous l'œil bêtement admiratif des photographes ?

La jeune fille pâlit sous l'insulte, mais la rage eût tôt fait de lui redonner des couleurs.

— C'est faux ! protesta-t-elle avec véhémence.

— Je crains que non, rétorqua-t-il en dardant sur elle un regard de glace. Ne deviez-vous pas signer un contrat avec Montoux ? Ils vendent de la lingerie, si je ne me trompe ?

Olivia rougit.

— Il s'agissait pour moi de présenter des vêtements de nuit.

Elle ne mentait pas : une autre fille avait été engagée pour les modèles plus déshabillés.

— Ce qui est tout à fait différent, d'après vous ?

releva-t-il en s'approchant tranquillement d'elle, les mains dans les poches de son pantalon.

— Effectivement.

Il l'étudia un instant, avant de poursuivre.

— Cette charmante tenue que vous portiez l'autre nuit était un modèle de chez Montoux, n'est-ce pas ?

Cette fois, elle devint cramoisie en songeant à l'ensemble de soie bleu pâle dans lequel il l'avait surprise. L'extrême légèreté du tissu ne laissait rien ignorer des courbes infiniment féminines de son corps.

— Ils m'ont offert quelques-unes de leurs créations, cela faisait partie du contrat, admit-elle en détournant les yeux.

— Tiens donc ! Et que vous ont-ils donné d'autre ?

— Un contrat ! Rien de plus ! s'écria-t-elle, furieuse.

Ils s'affrontèrent un instant du regard, puis il parut vouloir clore le sujet :

— Le monde ne va pas s'écrouler parce que vous ne posez plus, Miss Courtney. Il n'est pas si urgent que vous rentriez chez vous.

— Comment osez-vous m'imposer vos décisions ? fulmina-t-elle. Vous n'allez tout de même pas conduire ma vie à ma place ! Mon agence est en difficulté, figurez-vous. Je dois retourner à Londres.

Nick haussa les sourcils.

— Vous les avez contactés aujourd'hui ?

Olivia acquiesça.

— Et que vous ont-ils dit exactement ? s'enquit-il en allumant un cigare dont la fumée parfumée et bleutée s'éleva en un long ruban ondulant au-dessus de sa tête.

— Ils connaissent de sérieux problèmes financiers. Mon contrat avec Montoux leur aurait vraisemblablement évité la banqueroute, mais vous m'avez obligée à rompre mes engagements.

— Etes-vous en train de me demander de vous aider, Miss Courtney ?

— Pour rien au monde je ne vous adresserais une telle requête ! explosa-t-elle.

— Quelle noblesse ! rispota-t-il, cynique. Mais il est trop tard, j'en ai peur.

Un silence suivit ces paroles étonnantes.

— Que voulez-vous dire ? parvint-elle enfin à articuler.

— J'ai acheté l'agence ce matin. L'affaire est conclue.

Olivia demeura interdite. Pourquoi avait-il acquis cette petite agence ? Elle ne représentait rien parmi toutes les affaires qu'il dirigeait...

— Votre contrat, continua-t-il, fait partie de mon acquisition. Vous m'appartenez, Miss Courtney.

Le visage d'Olivia trahissait toutes les émotions que cette nouvelle incroyable suscitait en elle, et Nick Baretta considérait avec amusement ses diverses expressions. Elle aurait voulu le gifler, effacer le sourire sardonique qui éclairait ses traits. Incapable de faire le moindre geste, elle serra les poings.

— Pourquoi ? demanda-t-elle entre ses dents.

Il haussa les épaules avec désinvolture.

— J'aime m'assurer le contrôle de ce qui m'entoure. Ainsi, rien ne m'échappe.

Une colère amère s'insinuait en elle ; des étincelles meurtrières pétillaient dans ses yeux.

— Vous ne détiendrez jamais aucun pouvoir sur moi !

Il fit un pas de plus en sa direction.

— Croyez-vous ? Je n'en suis pas certain, Olivia.

Sous l'éclat du regard qu'il posait sur elle, le cœur de la jeune fille se mit à battre plus vite. La façon dont il prononça son prénom pour la première fois, de cette voix à la fois douce et rauque, fit courir en elle un étrange frisson.

— Vous ne pouvez ordonner ma vie, monsieur Baretta. Je démissionnerai et travaillerai ailleurs.

— Je vous suivrai.

Il saisit le menton d'Olivia, et sa main se fit caressante.

— Laissez-moi, dit-elle, les lèvres sèches.

Il sourit, de ce sourire irrésistible qui lui mettait le cœur à l'envers. Puis il se pencha vers elle et s'empara de ses lèvres dans un baiser aussi tendre que sensuel. Elle tenta de lutter contre le désir de répondre à ce baiser, de s'abandonner dans ses bras. En vain...

— Vous voyez ? fit-il en relevant la tête.

Incapable de proférer un son, elle détourna les yeux et s'aperçut que Tonino n'était plus dans la pièce. Sans doute s'était-il discrètement éclipsé dès l'instant où leur conversation avait pris un tour un peu trop personnel... Elle trouva la force de se lever et de se diriger vers sa chambre. Au moment où elle atteignait la porte, un rire moqueur s'éleva derrière elle.

— Miss Courtney ?

Olivia se retourna, après s'être composé le visage le plus profondément dédaigneux.

— Oui ?

— Je ne travaille pas, demain. Nous irons voir Greg dans l'après-midi.

Elle acquiesça avec hauteur avant de se refermer derrière elle, sans oublier de donner un tour de clé. Elle s'appuya ensuite contre le battant et demeura là un instant, immobile, en proie à un désespoir grandissant.

Il ne lui pardonnait pas d'avoir conduit Greg à une

tentative de suicide, p pourtant Nick la désirait ardemment, et il tenait à la voir admettre qu'elle le désirait tout aussi passionnément.

Avec un soupir, elle alla se préparer pour la nuit. L'attraction que Nick Baretta exerçait sur elle la déconcertait. Quand il la regardait d'une certaine façon, une étrange chaleur s'insinuait en elle. Elle frémissait dès qu'il l'approchait...

Elle devait absolument feindre l'indifférence, décida-t-elle en se mettant au lit. Mais comment y parviendrait-elle, quand sa seule présence la bouleversait ? Elle tenta de chasser ces pensées insolubles de son esprit en se plongeant dans un magazine, mais les mots se brouillèrent bientôt : les larmes obscurcissaient sa vue. Olivia n'entrevoyait aucune issue...

Le lendemain, au moment où ils partaient pour l'hôpital, la sonnerie du téléphone retentit. Tonino décrocha :

— C'est Simonetta, dit-il à Nick après avoir conversé quelques instants en italien. Elle voudrait savoir quand elle pourrait voir Greg.

Nick regarda brièvement Olivia.

— Bientôt, murmura-t-il lentement, sans quitter la jeune fille des yeux.

Elle se sentit brusquement mal à l'aise, sans bien comprendre pourquoi.

Dans la voiture qui les conduisit à l'hôpital, Olivia, assise près de Nick, se demandait qui était Simonetta. Leurs regards se croisèrent tout à coup, et elle fut surprise par l'intensité inhabituelle qui animait les prunelles de son compagnon. Surprise et déconcertée.

Greg les accueillit avec le sourire, mais il semblait las. Son seul désir, présent, était de quitter sa chambre de malade.

— J'espère que tu sortiras très bientôt, l'encouragea Olivia, soulagée de le voir déjà rétabli. Le plus tôt sera le mieux.

— Je te manque ? fit tendrement Greg.

— Bien sûr, mentit-elle.

Sur ce, il se mit à évoquer le mariage de ses rêves, un grand mariage moderne, à l'Américaine. Sa famille serait peut-être déçue car elle tenait sans doute à une cérémonie traditionnelle, mais le jeune homme ayant été élevé aux Etats-Unis avait rompu avec les coutumes siciliennes. Olivia l'écoutait, tandis que l'appréhension la gagnait à la perspective de devoir lui annoncer qu'elle ne l'épouserait jamais ; or cette échéance approchait, puisqu'il guérissait. Elle en conçut un ressentiment encore plus amer envers le responsable de cette sinistre comédie.

Greg se tourna vers elle, avec un sourire.

— Tu n'as pas encore rencontré maman, n'est-ce pas ? C'est une femme admirable ; elle nous a élevés toute seule. Elle se serait sentie perdue dans une grande ville comme celle-ci.

— Olivia la verra bientôt, intervint Nick en considérant la jeune fille avec dureté.

— As-tu déjà acheté ta robe de mariée ? J'espère qu'elle est superbe. Je veux que tous mes amis soient subjugués.

La jeune fille était au supplice.

— Il ne faut pas en parler avant, dit-elle d'une voix blanche, pour clore le sujet. Cela porte malheur.

Il lui restait à espérer que Greg recouvre des forces suffisantes pour supporter la vérité.

— J'ai parlé au Dr Leslie, annonça Nick. Tu sors dans deux jours.

— Enfin ! s'exclama le jeune homme, visiblement ravi. Pourquoi ne me l'as-tu pas appris tout de suite ?

Nick eut un sourire sardonique :

— Je voulais te réserver la surprise.

— N'est-ce pas merveilleux ? contina Greg en serrant les mains d'Olivia dans les siennes.

— Merveilleux, répéta-t-elle sans grande conviction.

Elle se demandait si elle serait capable de tout lui révéler.

— J'ai décidé de t'emmener en convalescence, annonça Nick à son frère.

La jeune fille reçut une nouvelle comme un coup de massue. Quel plan machiavélique avait-il encore échafaudé ?...

— Où ? s'enquit Greg, qui semblait prêt à bondir de son lit, sous l'effet de l'enthousiasme. J'aurai besoin de soleil après ce séjour ici.

Le visage de son aîné prit une expression inquiétante, calculatrice : il semblait sur le point d'énoncer un mauvais coup qu'il venait de préparer.

— Je vais te ramener à la maison, dit Nick, lentement, en posant les yeux sur Olivia. A Solunto.

— Solunto ? murmura-t-elle, la gorge sèche.

— En Sicile, expliqua-t-il avec un sourire doucereux.

Le cœur de la jeune fille s'arrêta de battre. La Sicile ! Un grand froid s'insinua dans tout son corps. S'il comptait emmener Greg dans son pays, envisageait-il qu'elle les accompagne, elle aussi ?...

Elle n'irait pas ! Jamais ! Mais... peut-être, après tout, prévoyait-il seulement de l'éloigner de Greg, de mettre entre eux des kilomètres et des kilomètres ?...

Nick voulait la savoir hors d'état de nuire, songea-t-elle amèrement. Mais si tel était son projet, il lui convenait parfaitement. Elle venait de concéder un énorme sacrifice pour Greg, elle n'allait tout de même pas l'épouser pour faire plaisir à son frère !

Olivia se détendit et reprit pied dans la réalité présente : les deux hommes discutaient.

— Je ne peux pas attendre, disait Greg, tel un petit garçon impatient. Et toi, Olivia ?

Elle le regarda d'un air absent.

— Attendre ?

Surpris, le jeune homme haussa les sourcils, puis lui sourit avec tendresse.

— Tu ne nous écoutais pas, constata-t-il. Dis-lui, Nick.

Elle se tourna alors vers ce dernier.

— Nous allons partir pour la Sicile, déclara-t-il en la considérant avec cynisme. Tous les trois.

Olivia demeura sans voix. Une pâleur subite décolora ses joues.

— Nous pourrions nous marier là-bas, proposa Greg.

Mais la jeune fille ne l'entendait plus. Elle toisait Nick Baretta d'un regard chargé de haine farouche.

5

— Je n'irai pas, un point c'est tout ! lança Olivia à Nick Baretta, entre ses dents serrées, le défiant du regard.

Il se tenait en face d'elle, à l'autre bout de la salle de séjour de son appartement. Ils venaient de rentrer de l'hôpital. Le trajet de retour avait été éprouvant. Le bruit incessant de la circulation new-yorkaise, les coups de klaxon intempestifs avaient torturé sans répit les nerfs déjà à vif de la jeune fille.

— Je ne veux pas qu'il rechute, rétorqua-t-il. La Sicile est l'endroit idéal pour lui, en ce moment.

— Mais pas pour moi !

Sous l'effet de la colère, les yeux d'Olivia lançaient des éclairs.

— Réfléchissez ; si vous ne l'accompagnez pas, il comprendra que vous ne voulez pas l'épouser. S'il commet à nouveau une bêtise, vous en serez responsable, vous seule.

Elle ne put retenir des larmes de frustration, des larmes de rage impuissante, mais elle cacha son désespoir par un nouvel accès de fureur.

— Il est adulte, non ? s'écria-t-elle d'une voix vibrante. Il est assez grand pour prendre ses risques.

— Pas exactement, et il l'a déjà prouvé. Greg est

un faible : il est incapable de dominer ses émotions. Cette fois, il pourrait réellement se tuer.

— Et ce serait de ma faute ?

— Vous me le demandez ? releva-t-il avec un calme inquiétant. Vous l'avez déjà conduit une fois jusqu'à la tentative de suicide, et vous voilà prête à recommencer !

— Mais enfin ! Je n'ai pas agi délibérément, que je sache !

— Je l'espère pour vous, car si jamais je venais à découvrir le contraire...

Cette phrase laissée en suspens la fit frissonner. Emplie d'appréhension, elle le regarda s'approcher d'elle sans mot dire, mais son effroi céda la place à un étrange émoi lorsqu'il s'arrêta tout près d'elle et saisit une mèche de ses cheveux.

— Vous viendrez en Sicile, Miss Courtney, même si je dois vous y traîner de force.

— Vous êtes capable de tout, reconnut-elle malgré elle, très pâle tout à coup.

— N'en doutez pas.

Il posa sur elle un regard glacial, les yeux rétrécis comme s'il voulait s'assurer que les paroles qu'il venait de prononcer atteignaient bien leur cible. Puis, il la lâcha brusquement et lui tourna le dos pour se diriger vers la table basse. Il prit un cigare dans le coffret.

— Pour l'amour de Dieu ! protesta Olivia, dans une dernière tentative de lui faire entendre raison. J'ai ma vie, mes amis, une famille, un travail qui m'attend ! Vous êtes trop injuste !

— Injuste, moi ? N'est-il pas plus injuste que mon frère soit à l'hôpital ?

La jeune fille rougit mais ne demeura pas muette pour autant.

— Vous êtes un égoïste ! l'accusa-t-elle. Vous ne considérez les choses que de votre point de vue.

— Cela suffit ! s'emporta-t-il en frappant du poing sur la table.

Il fondit alors sur la jeune fille qui, effrayée, recula sous cet assaut inattendu. Mais elle ne put lui échapper... Il l'agrippa sans ménagement aux épaules :

— Un seul mot de plus, menaça-t-il, un seul mot, et je ne réponds plus de moi. Suis-je assez clair ?

Apeurée par la violence contenue qui émanait de tout son corps, Olivia se contenta d'acquiescer silencieusement.

— Bien, dit-il.

Il la lâcha enfin et se tourna vers Tonino.

— Surveille-la de près, veux-tu ? l'enjoignit-il.

L'intéressé s'approcha de la jeune fille et la considéra avec un air indéchiffrable.

— Bien sûr, patron.

— Méfie-toi, elle est rusée comme un renard. Tu ne dois en aucun cas lui faire confiance.

Sur ce, Nick Baretta tourna les talons et sortit de l'appartement.

Vaincue, Olivia se laissa tomber sur le divan et éclata en sanglots. Tonino s'esquiva discrètement pour revenir quelques instants après avec une boîte de mouchoirs en papier. Il s'assit près d'elle, la mine compatissante, tandis qu'elle s'essuyait les yeux d'une main tremblante.

— Vous ne trouvez pas tout cela injuste ? lui demanda-t-elle, cherchant sur son visage un signe d'assentiment.

Elle n'y lut qu'une immense sympathie.

— Tonino, ne pourriez-vous m'aider ? Laissez-moi partir pendant qu'il n'est pas là.

— Etes-vous devenue folle ? s'exclama-t-il en haussant les sourcils. Il me tuerait !

Olivia soupira. Il devait bien exister une issue à son infortune ! Quoi qu'il en soit, c'était à elle seule de la trouver.

Dans un état de nervosité extrême, elle passa le reste de la journée à y réfléchir, sans succès, hélas. A minuit, Tonino posa le livre qu'il lisait et s'approcha d'elle.

— Allez vous coucher, lui conseilla-t-il gentiment. Vous ne devriez pas rester là à vous torturer inutilement.

Elle posa sur lui des yeux emplis d'amertume.

— A quoi bon ? Je ne pourrais pas dormir, même si je le voulais.

Il sembla hésiter un instant, puis il se leva et sortit de la pièce pour y revenir peu après avec un verre d'eau et deux pilulea.

— Tenez, dit-il à la jeune fille. Pour vous aider à dormir.

Au lieu de la soulager, cette initiative suscita la méfiance d'Olivia. Elle ne commettrait pas l'imprudence d'avaler des comprimés sans connaître leur nature. Au lieu de les mettre dans sa bouche, elle fit mine de les prendre mais les garda en réalité dissimulés au creux de sa main.

— C'est parfait, estima son compagnon lorsqu'elle lui tendit le verre vide. Maintenant, allez au lit, il se fait tard.

Olivia enfouit subrepticement les pilules dans la poche de sa robe et regagna sa chambre après lui avoir souhaité une bonne nuit. Elle se déshabilla et se glissa dans son lit où elle s'étendit sans toutefois s'endormir. Les mêmes questions la tourmentaient sans relâche : comment s'échapper ?

Une idée soudaine la fit bondir hors de son lit. Elle

enfila immédiatement sa robe de chambre et s'approcha sans bruit de la porte. Tonino n'était toujours pas couché : elle l'entendait aller et venir dans l'appartement. Priant pour que son projet aboutisse, elle ouvrit résolument la porte.

Tonino l'accueillit avec un haussement de sourcils :

— Qu'y a-t-il ? s'enquit-il en posant son whisky sur la table.

Olivia s'efforça de sourire naturellement.

— J'ai soif, prétendit-elle. Peut-être pourrais-je avoir de l'eau ?

— Bien sûr, répondit-il aussitôt. Ce sont vos cachets, ils donnent soif.

Il lui désigna une chaise et ajouta :

— Asseyez-vous un instant, je vous apporte cela tout de suite.

Olivia s'empressa de s'exécuter. Dès qu'il eut quitté la pièce, elle s'approcha de la table où était posé le verre de whisky. Les yeux fixés sur la porte, attentive au moindre bruit, elle saisit dans sa poche les deux comprimés qu'elle avait pris soin d'emporter avant de quitter sa chambre, et les mit dans le verre de Tonino. Son cœur s'arrêta de battre... Ils ne se dissolvaient pas !

Affolée, elle agita le tout avec son doigt... Rien à faire. Elle avisa ensuite le siphon de soda : elle le saisit sans hésiter et pressa une première fois sur le bouton. Elle ne réussit qu'à s'asperger le visage. Désespérée, elle retint sa respiration. Tonino revenait... elle entendait ses pas approcher. Elle envoya alors un jet de soda dans le whisky : le liquide blanchit et les pilules furent invisibles.

— Que faites-vous ?

La jeune fille sursauta violemment.

— Je... je pensais que ce serait plus léger avec un

peu de soda. Voyez-vous, je... je n'aimerais pas que vous vous enivriez.

A son grand soulagement, elle vit Tonino sourire.

— Ne vous inquiétez pas pour ça. Je vais aller me coucher, maintenant.

Il lui tendit son verre d'eau et ajouta avec une grimace :

— En guise de somnifères, je prends mon whisky et un bon livre !

Olivia essaya de contrôler le tremblement de ses mains quand elle prit le verre. Une fois à l'abri dans sa chambre, elle poussa un soupir de soulagement, et tout son corps se détendit.

Dix minutes plus tard, elle était habillée, et ses affaires empaquetées. L'ascenseur la déposa silencieusement au rez-de-chaussée. Elle craignait de rencontrer Nick, car il ne tarderait pas à rentrer, mais elle parvint dans la rue sans encombres.

Elle reçut la caresse de l'air frais de la nuit comme une gifle bienfaisante. Sans perdre de temps, elle se mit à longer les murs pour se fondre dans leur ombre, plus effrayée à l'idée de croiser Nick Baretta que de faire une mauvaise rencontre.

L'énergie qui émanait de New York lui insufflait du courage. Après le premier pâté de maisons, elle prit à droite et pressa le pas, non sans avoir jeté un coup d'œil inquiet par-dessus son épaule.

Le mugissement sourd de la circulation, ponctué de coups de klaxons retentissants, de crissement des coups de freins l'assourdissaient. Les lumières des codes, des veilleuses et des feux l'aveuglaient.

Son cœur battait à tout rompre lorsqu'elle arrêta un taxi.

— Kennedy Airport, s'il vous plaît, cria-t-elle au chauffeur. Le plus vite possible !

La voix de l'homme lui parvint à travers la vitre de séparation.

— *Okay, lady,* fit-il avec un accent nasillard. Accrochez-vous !

Olivia ne parvint à se détendre qu'après avoir quitté le quartier où se situait l'appartement de Nick. Elle se laissa enfin aller contre le dossier de la banquette et ferma les yeux, encore incrédule. Elle était libre !... Libre !

Ils traversèrent l'East Side, l'East River qui charriait ses eaux noires où se réfléchissaient les lumières dansantes de la ville. Ils sillonnèrent ensuite des rues salles et lugubres qui rappelèrent à la jeune fille celles de l'East End, à Londres.

Une demi-heure plus tard, elle courait dans Kennedy Airport en direction du comptoir de la British Airways. Elle eut tout juste assez d'argent liquide pour payer le prix du billet, mais jamais elle n'avait eu le sentiment de faire une dépense aussi utile.

Elle patienta longuement à la cafétéria jusqu'à l'annonce de son vol, puis elle se dirigea hâtivement à travers la foule vers les bureaux de douane.

— Vous allez quelque part ? interrogea une voix traînante, tout près d'elle.

Olivia sursauta, tandis qu'un frisson glacé parcourait son dos. Nick lui prit le bras, et elle essaya sans résultat de se dégager de cette main de fer.

— Pas si vite ! fit-il abruptement en la plaquant contre lui, lui coupant la respiration.

— Comment saviez-vous que j'étais ici ? s'enquit-elle, accablée.

Un mauvais sourire étira les lèvres de l'homme.

— J'ai simplement procédé à des déductions logiques lorsque je suis arrivé à la maison et que j'ai découvert Tonino dans un piteux état. Vous avez une âme meurtrière, ma chère. Je ne sais pas ce que vous avez mis dans son verre, mais il est complètement sonné.

Olivia détourna les yeux et serra les poings.

— En tout cas, inutile de me demander de vous suivre, maintenant. Je veux rentrer chez moi ! Vous ne pouvez pas m'en empêcher, ici, il y a trop de monde autour de nous. Vous n'oseriez pas me ramener de force devant tous ces gens.

Le regard qu'il lui adressa détruisit instantanément tous ses espoirs.

— Les choses sont simples, dit-il d'une voix doucereuse. Soit vous rebroussez chemin de votre plein gré, soit je vous y oblige. A vous de choisir.

— Vous ne...

— Pardon ? la coupa-t-il en enfonçant ses doigts dans la chair tendre de son bras. Continuez, je vous prie, ce que vous alliez dire m'intéresse beaucoup.

Comprenant que rien ne pourrait entamer la détermination de cet homme intransigeant et assurément dangereux, Olivia courba la tête et abdiqua.

— Très bien, je n'ai pas le choix, murmura-t-elle.

— Non, vous n'avez pas le choix, et je ne suis pas d'une nature très patiente.

Le cœur de la jeune fille battait à tout rompre tandis qu'il l'escortait jusqu'à la sortie. Quand les portes automatiques s'ouvrirent devant eux, elle s'arrêta net, tout à coup.

— Ma valise !... s'écria-t-elle.

— Je m'en occuperai, ainsi que du billet, répondit-il sur un ton sans réplique.

Lorsqu'elle s'installa dans la voiture, elle fut presque surprise de ne pas trouver une haie d'hommes armés, engagés pour veiller sur la prisonnière de Nick Baretta ! Mais il était seul.

Elle le regarda conduire avec son aisance coutumière. Dans la nuit, son profil anguleux, le dessin ferme de ses pommettes hautes se paraient d'ombres sinistres. Pourtant, elle ne put réprimer l'étrange frisson que la vue de ses longues jambes déployées pour atteindre les pédales, de ses grandes mains brunes posées sur le volant, lui inspiraient.

Nick conduisit vite, sans lui épargner coups de freins et crissements de pneux dans les virages. Olivia comprit qu'une colère sourde lui dictait ces mouvements d'humeur.

— Descendez, lui ordonna-t-il sèchement une fois à destination.

Un peu plus tard, il la poussait sans ménagement dans l'appartement.

Un lourd silence s'installa entre eux. Incapable de le supporter plus longtemps, Olivia demanda :

— Comment va Tonino ?

— A part le fait qu'il est plongé irrémédiablement dans un sommeil de plomb, il va bien, mais je crains qu'il ne se réveille avec une solide migraine, après avoir ingurgité ces comprimés mélangés à de l'alcool.

La jeune fille se mordit les lèvres.

— Je ne pensais pas que cela agirait ainsi, dit-elle, anxieuse, tout à coup, pour le pauvre Tonino.

— Vraiment ?

— J'ai fait cela impulsivement, sans rien préméditer. Je devais prendre le risque.

— Eh bien laissez-moi vous dire, ma chère petite, commença-t-il en s'approchant d'elle, que vous êtes allée un peu trop loin, cette fois.

Elle recula instantanément afin de ménager prudemment une certaine distance entre eux.

— C'est vous qui m'y avez obligée. Je n'irai pas en Sicile avec vous, vous feriez mieux de l'accepter.

— Je n'accepte rien du tout ! rugit-il entre ses dents.

Le ton montait, mais elle trouva le courage de répliquer :

— Vous feriez mieux d'admettre la réalité au lieu de vouloir la façonner à votre gré.

— Ecoutez, je me suis montré patient, il me semble, mais décidément, vous me mettez hors de moi. Vous finissez par me faire oublier que je suis un gentleman.

— Vous n'êtes pas un gentleman ! Croyez-vous que la manière dont vous m'avez ramenée de l'aéroport était celle d'un gentleman ?

— Vous saviez parfaitement comment je réagirais.

Olivia recula encore de deux pas et son dos rencontra le chambranle de la porte ouverte de sa chambre.

— Je me moque de ce que vous dites ! cria-t-elle. Je n'irai pas en Sicile !

Les yeux de Nick Baretta lançaient des éclairs, mais il contrôlait encore la fureur qu'elle déclanchait en lui.

— Mon frère...

— Oh, ne recommencez- pas ! le coupa-t-elle. Je ne suis pas dupe de votre comédie. Vous ne vous souciez nullement de votre frère, vous voulez seulement me punir !

— Et pourquoi diable voudrais-je vous punir ?

— Parce que vous me désirez malgré vous, et que vous vous haïssez à cause de cela.

Un bref silence suivit ses propos, pendant lequel elle eut le temps, à son grand effroi, de mesurer les paroles qui venaient de lui échapper.

Soudain, il bondit sur elle. Elle tenta de se réfugier dans sa chambre en refermant la porte derrière elle, mais il s'engouffra à l'intérieur avec elle en l'agrippant violemment par le bras.

— Je vous en prie... gémit-elle, affolée. Je ne voulais pas dire que...

Sourd à ses prières, il la plaqua contre lui et s'empara de sa bouche sans la moindre tendresse, lui infligeant un baiser brutal. Elle essaya de le repousser, mais que pouvait-elle contre un homme aussi robuste ? Sans la lâcher, il la poussa lentement vers le lit.

— Non !... cria-t-elle, désespérée.

Mais il saisit ses poignets en les bloquant d'une seule main, et il s'écroula avec elle sur le lit, l'écrasant de tout le poids de son corps.

— Taisez-vous... ordonna-t-il en baissant la tête pour lui prendre brutalement les lèvres.

Elle tenta à nouveau de lutter, mais il était trop lourd sur elle. De plus, il la maintenait si fermement qu'il lui faisait mal.

Et puis, quelque chose d'étrange arriva : ils venaient de mener une bataille farouche, et maintenant, soudainement, ils se retrouvaient désespérément accrochés l'un à l'autre, dans une étreinte passionnée, amoureuse et non plus belliqueuse.

Leur baiser prit une intensité telle qu'une chaleur subite s'insinua en Olivia. Ses seins se durcirent et elle enfouit ses mains dans les cheveux de Nick, se pressant contre lui pour que son corps épouse étroitement le sien.

Ils se serraient comme s'ils allaient se noyer. Leur baiser devenait brûlant, leurs cœurs battaient à l'unisson, le même feu dévorant les consumait.

Ils se regardèrent un instant : dans leurs yeux dansait la même flamme, une flamme un peu folle mais terriblement exigeante.

— Mon Dieu, murmura Nick.

Eperdue, elle tenta de le repousser comme il allait à nouveau l'embrasser.

— Très bien, dit-elle, le souffle court, effrayée de découvrir le désir violent qui les poussait inexorablement l'un vers l'autre. Je... j'irai en Sicile.

Peut-être ces mots le dissuaderaient-ils de continuer ? Elle avait prononcé inconsidérément ceux qui lui venaient immédiatement à l'esprit, sans réfléchir, mais ils ne produisirent pas l'effet escompté.

— C'est parfait, murmura-t-il d'une voix rauque.

Et il s'empara de sa bouche avec une ardeur nouvelle, comme si cette reddition avait attisé sa faim au lieu de l'apaiser. Olivia entrouvrit les lèvres, malgré elle, et les mains de Nick glissèrent sur son corps en une lente valse sensuelle. Oubliant le monde qui l'entourait, tout ce qui les séparait, elle se prêta à ses caresses sans la moindre retenue.

Elle gémit de plaisir lorsqu'elle sentit contre ses seins la douce pression de ses doigts. Il déboutonna immédiatement son chemisier, le lui ôta complètement et le jeta à terre. Puis il contempla la peau claire et satinée de la jeune fille avant de venir effleurer le creux de son cou de ses lèvres, de descendre ensuite vers sa gorge en appuyant de plus en plus sa pression brûlante sur le corps frémissant d'Olivia.

Elle le guida elle-même jusqu'à la zone la plus intime de sa poitrine, la plus sensible : il y infligea d'infimes morsures, tendres et si douce qu'elle gémit encore. Alors il reprit sa bouche, fiévreusement, tout en continuant à la caresser.

Lorsqu'elle sentit la main de Nick sur son ventre, elle entrevit brusquement la situation comme si elle venait de retomber brusquement sur terre. Toute tremblante, elle le repoussa et secoua la tête.

— Oui, souffla-t-il à son oreille en la ramenant contre lui.

Mais cette fois, elle lutta pour ne pas se laisser

griser, et, avec une souplesse et une promptitude inattendues, elle lui échappa et bondit hors du lit.

Voyant que Nick s'apprêtait à se lever pour la rejoindre, elle cria :

— Non ! Je vous en prie, arrêtez !

Ses jambes la soutenaient à peine, mais une ferme résolution la guidait.

— Nous sommes faits l'un pour l'autre, dit-il en s'approchant d'elle. Je vous veux, Olivia.

Il l'attira contre lui et répéta :

— Je vous veux désespérément.

— Mais pas moi ! se défendit-elle. Je ne veux rien avoir à faire avec vous.

— Ne mentez pas, murmura-t-il en prenant son menton du bout des doigts pour lui renverser légèrement la tête en arrière. Vous ressentez la même chose que moi.

— Non ! s'écria-t-elle d'une voix altérée. C'est vous qui m'avez obligée à en arriver là !

— Vous ne pouvez nier ce qui existe entre nous. Vous ne pouvez nier l'effet que produisent sur vous mes baisers. La flamme qui m'anime quand je vous tiens dans mes bras vous consume aussi.

Des larmes brillaient dans les yeux d'Olivia, et elle secoua la tête.

— Ce n'est pas vrai...

— Ecoutez-moi, la coupa-t-il d'une voix grave et profonde. Laissez-moi vous aimer, je suis un homme beaucoup plus généreux que vous ne semblez le penser et...

— Sortez de cette chambre !

— C'est inutile de vous cacher la vérité. Vous désirez mes caresses autant que je désire les vôtres.

La bouche d'Olivia, déformée par la colère, ne formait plus qu'une ligne mince. Ses joues la brûlaient.

— Ne vous avisez plus de poser un doigt sur moi ! jeta-t-elle entre ses dents serrés. Plus jamais !

Il la considéra un instant dans un silence hostile puis il la lâcha brutalement et quitta vivement la pièce en claquant la porte derrière lui.

La jeune fille s'efforça de respirer profondément pour tenter de calmer la tourmente qui faisait rage en elle, mais elle sentit des larmes chaudes ruisseler sur son visage. Incapable de reprendre ses esprits, elle s'assit sur son lit et pleura longuement.

L'étreinte de Nick Baretta l'avait dévastée. Il avait abattu une à une les barrières dont elle s'était prudemment entourée pour lui révéler au grand jour combien l'attirance qu'il exerçait sur elle était profonde, sauvage, irrépressible. Il avait raison : elle s'était tendue vers ses caresses de son plein gré, subjuguée, éperdue... Malgré la haine qu'elle lui vouait, elle s'était retrouvée toute tremblante de désir entre ses bras, prête à lui donner toute sa tendresse et à recevoir la sienne.

Il ne devait plus jamais l'approcher. Une ardeur trop puissante les liait l'un à l'autre, et elle ne devait surtout pas oublier que l'amour ne tenait aucune place dans le désir qu'elle inspirait à Nick Baretta. Aucune.

6

Le lendemain matin, durant le petit déjeuner, Olivia s'appliqua à éviter soigneusement le regard de Nick Baretta, mais leurs yeux se croisaient inévitablement et elle rougissait au souvenir de leurs étreintes de la nuit. Ils n'échangèrent pas un mot.

Un peu plus tard, un bruit sourd retentit dans l'appartement, les faisant sursauter. Nick se leva et se dirigea vers la porte qui donnait dans la chambre de Tonino.

« Pauvre Tonino », songea Olivia. Sans doute serait-il furieux après elle, et elle le comprenait.

Quelques minutes après, il pénétrait dans la pièce d'un pas mal assuré en se tenant le crâne.

— Mon Dieu ! s'écria-t-il en apercevant la jeune fille. Que me réservez-vous la prochaine fois ?

Mais en voyant la mine confuse d'Olivia, il se mit à rire.

— Oh, non... grommela-t-il, ne me faites pas rire... Ma tête ! Ma pauvre tête !

— Tonino, je suis désolée, lui dit-elle en le considérant affectueusement.

Elle s'approcha de lui et lui posa une main sur le bras.

— Je ne pensais pas que les comprimés étaient

incompatibles avec l'alcool. Etes-vous vraiment mal en point ?

— Plus que mal en point !... Enfin, je ne vous en veux pas. Peut-être pourrais-je avoir un peu de café, à présent ?

— Asseyez-vous, répondit-elle en se dirigeant vers la cuisine.

Elle le rejoignit peu après avec une tasse de café fumant. Tonino la regarda la lui tendre avec circonspection :

— Hmmm... Je serais plus tranquille si vous le goûtiez la première.

Olivia sourit, mais ses joues s'empourprèrent. Elle s'exécuta pourtant de bonne grâce.

— Vous voyez ? dit-elle après avoir avalé une gorgée. C'est seulement du café. Buvez, cela vous fera du bien.

Nick pénétra dans la pièce vêtu d'un pantalon de velours noir et d'un chandail assorti qui faisait ressortir le teint doré de sa peau bronzée et exhalait le côté sensuel de son personnage. Il accorda à la jeune fille un regard neutre et annonça de sa voix grave :

— Il me faut régler plusieurs choses avant que nous partions, demain matin. Tenez-vous prête pour sept heures, Olivia. Nous passerons prendre Greg à l'hôpital et de là, nous nous rendrons directement à l'aéroport d'où nous nous envolerons pour Palerme.

— Très bien, acquiesça-t-elle. Je resterai ici avec Tonino, aujourd'hui. Il a besoin de calme.

Nick hésita, comme s'il voulait ajouter quelque chose, mais il sembla finalement se raviser et sortit.

Olivia s'attendait à être accueillie par un beau soleil, à son arrivée en Sicile. Au lieu de cela, de nombreux nuages obscurcissaient le ciel. Les dieux n'étaient décidément pas avec elle...

Le paysage qu'ils survolaient semblait sinistre avec ses montagnes aux pics pointus comme des crocs, aux flancs parsemés de buissons verts où des massifs de fleurs rouges mouillées par la pluie jetaient des taches de couleur. Cette nature sauvage, indomptable, défiait le vent qui la balayait par rafales, faisant entrer la végétation dans une danse imprévisible.

Olivia regardait tristement ce pays hostile. Greg lui pressa gentiment les mains.

— Nous arrivons chez nous, murmura-t-il.

Elle parvint à lui sourire malgré le malaise qu'elle ressentait à l'idée de continuer à lui faire croire qu'elle allait l'épouser.

— Voilà Palerme, annonça-t-il, la capitale.

La jeune fille s'approcha du hublot du petit avion privé. Les toits des maisons robustes du vieux quartier apparaissaient, en contrebas. Leurs murs de plâtre blanc semblaient gris tant ils étaient mouillés par la pluie incessante. On aurait dit une ville volée au temps, une cité médiévale sur laquelle régnait un seigneur tout-puissant.

Ils se posèrent à Punta Raisi, l'aéroport de Palerme, situé légèrement en dehors de l'agglomération. Une fois de plus, une longue limousine noire les attendait. Au moment où ils allaient s'y engouffrer, une rafale de vent fit cingler la pluie sur leurs visages.

— Quel temps! grommela Nick en claquant la portière derrière eux.

Greg se tourna vers la jeune fille et remarqua sa pâleur.

— Ne t'inquiète pas, la rassura-t-il d'une voix douce. Le soleil revient toujours très vite, après ces orages.

L'averse martelait le toit de la voiture en un

crépitement assourdissant. Olivia lui sourit gentiment :

— La Sicile ne m'aime peut-être pas ! plaisanta-t-elle.

Il eut un petit silence que Nick rompit en répliquant d'une voix lente :

— Peut-être bien...

Assise entre les deux frères, elle écoutait d'une oreille distraite la conversation animée du plus jeune, tandis que la voiture cahotait sur la route parsemée d'ornières qui menait à Solunto. Greg semblait totalement inconscient de la tension latente entre Nick et Olivia.

Tonino, lui, savait. Silencieux, il se contentait de leur jeter de temps à autre un regard sombre.

— Nous voilà arrivés, annonça Greg au bout d'un moment.

Ils venaient de s'engager dans un chemin qui débouchait sur de hautes grilles.

— Le Palazzo Baretta, ajouta-t-il dès qu'ils les eurent franchies.

Flanquée de buissons touffus et d'arbres majestueux, une imposante bâtisse de pierre se dressait devant eux. Construite sur les hauteurs de Solunto, elle surplombait le village, tel un veilleur immobile et silencieux.

Visiblement très fier de sa demeure, Greg la contemplait avec amour.

— A quoi pensez-vous ? demanda-t-il à Olivia qui ne parvenait pas à détacher ses yeux de cette superbe maison.

— C'est magnifique, dit-elle simplement, incapable de commenter autrement la beauté de cette construction.

L'orage s'était apaisé, mais des nuages gris encombraient encore le ciel. La grande porte de la maison s'ouvrit, et une jeune femme surgit en criant :

— Gregorio !

Le jeune homme lâcha la main d'Olivia et accueillit la nouvelle venue avec un sourire lumineux.

— Simonetta !

L'inconnue descendit les marches en courant. Elle avait un visage rond, la peau brune, les yeux noirs et veloutés. Un foulard jaune retenait ses cheveux sombres et brillants.

— *Ciao,* Gregorio ! s'exclama-t-elle en se jetant dans ses bras.

Greg l'embrassa sur les joues et la repoussa gentiment.

— Nous avons une invitée anglaise, Simonetta, lui dit-il en désignant Olivia qui se tenait à quelques pas derrière eux.

La Sicilienne se raidit, et, visiblement surprise, posa un regard hostile sur la jeune fille qui comprit immédiatement qu'elle n'était pas la bienvenue.

— Bonjour, Simonetta, dit-elle en s'efforçant de sourire.

— ... *Buon giorno,* répondit l'autre après une hésitation.

Olivia fronça les sourcils puis détourna les yeux. Elle remarqua alors un groupe de trois hommes postés un peu plus loin... Des gardes, peut-être ? Elle allait le demander à Nick quand celui-ci l'interrompit.

— On y va ? suggéra-t-il.

Simonetta glissa son bras sous celui de Greg dans un geste possessif :

— Je serai ton infirmière pendant ton séjour ici, annonça-t-elle en prenant un air faussement timide. D'accord ?

— C'est Olivia qui me soigne, répondit doucement le jeune homme.

Simonetta se raidit et posa sur l'étrangère des yeux mauvais. Elle la défia ainsi silencieusement pendant un bref moment, puis, lentement, elle lâcha le jeune homme et se dirigea seule vers la maison, d'une démarche féline. Son corps, voluptueusement mis en valeur par une robe droite, violette, ondulait sensuellement à chacun de ses pas.

— Quelle mouche l'a piquée? s'étonna Greg. Hmmm... Il vaudrait mieux que je m'occupe d'elle, je crois.

Et il se hâta derrière elle.

— Bienvenue dans mon château, souffla une voix à l'oreille d'Olivia.

Elle se retourna vers Nick, et il lui prit le bras. Ensemble, ils gravirent les marches du perron et franchirent le seuil du *Palazzo Baretta*.

Ils s'agissaient en fait d'une demeure seigneuriale qui s'accordait parfaitement avec son propriétaire. De très vieilles tapisseries ornaient les murs de pierre, des tapis colorés jonchaient le sol.

Olivia s'attendait à arriver dans une villa méditerranéenne, pas dans un palais ! Elle s'approcha d'un grand tableau.

— Ce sont vos ancêtres ? s'enquit-elle.

Le hall lui renvoya l'écho de sa voix.

— Oui ; ils sont impressionnants, n'est-ce pas ?

— Celui-ci vous ressemble, fit-elle en désignant le portrait d'un homme aux yeux gris, aux traits taillés à la serpe, à l'expression intransigeante.

— C'était un meurtrier, murmura-t-il en se penchant vers elle, une pointe de gaieté dans le regard.

Elle le toisa froidement.

— Il n'est pas le seul de la famille je suppose ?

Il sembla offensé, puis ses lèvres s'étirèrent lentement en un sourire.

— Tout homme peut devenir un meurtrier, la taquina-t-il, quand on le provoque... Les femmes s'y entendent particulièrement à les pousser à bout.

Olivia n'avait pas le cœur à rire ; elle continua d'observer le portrait de l'ancêtre vêtu richement d'un costume du dix-septième siècle.

— Depuis quand cet endroit appartient-il à votre famille ?

Il s'assombrit, tout à coup.

— C'est une longue histoire, dit-il en prenant entre ses doigts le menton de la jeune fille et en plongeant son regard dans le sien. Je vous la raconterai... plus tard.

— Les péripéties sont trop nombreuses ?

— Je dirais plutôt trop violentes.

Olivia frissonna...

— Attention, Nick ! intervint une voix féminine aux consonances italiennes. Tu vas lui faire faire des cauchemars !

La jeune fille se retourna et aperçut une femme d'une cinquantaine d'années, très brune. Des fils d'argent striaient sa lourde chevelure, et sa peau très mate était légèrement ridée. Elle examina Olivia avec attention. Son regard, empreint de sagesse, évoquait l'expérience de ceux qu'une vie riche et pleine à rendu raisonnables.

Nick s'avança vers elle.

— Je pense qu'elle survivra, maman, répondit-il tranquillement en l'embrassant tendrement. Vous me racontiez bien de terribles légendes siciliennes, quand j'étais enfant.

Sa mère se mit à rire.

— Tu faisais aussi de terribles cauchemars. Je devais venir te bercer pour te calmer.

— Et qui te dit que je ne berce pas Miss Courtney pour l'aider à s'endormir ?

— Tu ne l'appellerais pas « Miss Courtney » si c'était le cas... répliqua-t-elle en observant pensivement cette dernière. Vous êtes Olivia, n'est-ce pas ?

La Signora Baretta s'approcha d'elle dans un crissement de soie.

— Laissez-moi vous regarder, continua-t-elle en lui prenant les mains. Vous auriez presque pu être sicilienne avec ces cheveux noirs... Vos yeux sont peut-être un peu trop bleus, votre peau un peu trop pâle mais... Je suis ravie de vous connaître enfin. Bienvenue à Solunto, Olivia.

— J'ai beaucoup entendu parler de vous, Signora Baretta, répondit-elle aimablement.

— Appelez-moi Maria, mon enfant. Moi aussi j'ai beaucoup entendu parler de vous, par... par mes deux fils.

— Vraiment ? s'étonna la jeune fille en surprenant dans le visage de Nick un regard indéchiffrable.

Maria Baretta les observait avec perspicacité.

— Je ne vois plus rien de méditerranéen en toi, Nick. Parfois, confia-t-elle à son invitée, j'ai l'impression que mes deux fils deviennent trop américains.

— Ne vous inquiétez pas, glissa Olivia. Je peux vous assurer qu'il n'a rien perdu de son tempérament latin.

Son hôtesse éclata de rire.

— Ainsi vous vous êtes heurtée à lui ? Je crois, ma chère, que nous allons nous découvrir plusieurs points communs...

— Ne commence pas à comploter, maman, veux-tu ? intervint Nick en mettant les mains dans ses poches.

— Mon fils m'attribue volontiers des intentions diaboliques, avoua-t-elle à la jeune fille en lui prenant le bras pour la conduire dans un immense salon. Mais rassurez-vous, il n'en est rien. Aimeriez-vous vous restaurer ? Quelques gâteaux vous conviendraient-ils ? Ou un verre de Marsala ?

Elles pénétrèrent dans une pièce encore plus grande que le vestibule ; là aussi, des tapisseries décoraient les murs et de beaux tapis à dominance rouge recouvraient le sol. Des meubles de bois poli fleuraient bon la cire.

— Vous verrez, c'est très rafraîchissant, lui dit la maîtresse des lieux en lui tendant un verre. Nous avons renoncé à notre sieste pour vous, Olivia, alors maintenant, vous vous devez de boire avec nous.

Les verres s'entrechoquèrent. Olivia se sentait très reconnaissante envers la Signora Baretta de l'accueillir avec autant de chaleur. Les Siciliens étaient réputés pour leur sens profond de l'hospitalité.

Simonetta et Greg les avaient rejoints dans le salon et levaient également leurs verres en l'honneur de la nouvelle venue. La jeune femme ne quittait pas Greg d'une semelle, mais il semblait plutôt indifférent à ses attentions.

— Maman, comment trouves-tu ma fiancée ? demanda-t-il à sa mère en s'approchant d'Olivia.

— Elle est très belle, répondit-elle en lançant un coup d'œil rapide en direction de Nick. N'es-tu pas d'accord avec moi ? s'enquit-elle auprès de ce dernier.

Un bref silence suivit cette question. Mal à l'aise, Olivia s'était empourprée.

— Tout à fait, admit enfin l'aîné des Baretta en considérant froidement, d'une manière presque hostile, son jeune frère et son amie.

De plus en plus gênée, celle-ci se tourna vers la fenêtre. Le soleil perçait entre les nuages.

— L'orage est fini, dit-elle pour distraire l'attention d'elle et de Nick.

Le jardin se parait de couleurs étourdissantes. La pelouse d'un vert très vif était décolorée par endroits. D'un vert plus sombre, buissons, arbustes et arbres foisonnaient, égayés çà et là par les taches lumineuses des bougainvilliers roses.

— Tant mieux, répondit la Signora Baretta en dégustant une nouvelle gorgée de vin. Les hommes du village ne sont pas sortis, ce matin, ajouta-t-elle à l'adresse de son fils aîné. Heureusement pour eux, l'orage s'est déclaré à huit heures, assez tôt pour les dissuader de prendre la mer.

Greg s'était assis près d'Olivia et lui tenait la main.

— Sont-ils tous pêcheurs ? s'enquit-elle.

Elle savait que la Sicile, île particulièrement bien située, était réputée pour son industrie poissonnière ainsi que pour la diversité de ses poissons.

— Oui, acquiesça la Signora Baretta. La mer est leur seule ressource, mais ce sont des hommes libres, profondément attachés à leur mode de vie. Ils seraient très malheureux en ville. Evidemment, c'est plus dur pour leurs femmes qui tremblent pour eux dès que le vent se lève.

Greg tenait toujours la main d'Olivia, qui surprit soudain le regard malveillant de Simonetta à leur égard.

Tout à coup, Nick se repoussa du mur où il s'était adossé.

— Je vais vous conduire à votre chambre, Olivia, annonça-t-il brusquement.

— Je pourrais m'en charger moi-même, protesta Greg en sursautant.

— Tu serais mieux dans ton lit, répliqua son frère.

Il prit le poignet de la jeune fille et l'entraîna avec lui jusqu'à la porte de chêne qu'ils franchirent.

Au premier étage, il l'introduisit dans une grande chambre vaste et claire. Lorsqu'il ouvrit les persiennes, le soleil entra à flots dans la pièce.

— C'est très joli, dit Olivia, nerveuse de se savoir seule dans cet espace clos auprès de cet homme si troublant.

Nick s'appuya sur la rambarde de la fenêtre et lui demanda :

— Que pensez-vous de Simonetta ?

— Eh bien, elle me paraît charmante, mentit-elle en pensant à la malveillance que la jeune femme ne parvenait à dissimuler.

Il haussa les sourcils avec un air sardonique.

— Ne me dites pas que vous n'avez rien remarqué ?

— Remarqué quoi ? Qu'elle était extrêmement jolie ?

— Ne jouez pas les naïves. Elle et Greg se connaissent depuis très longtemps.

— Je m'en serais doutée... Nul besoin d'être perspicace pour s'apercevoir qu'ils sont de fort bons amis.

— Ils sont plus que de bons amis, dit-il d'une voix traînante.

Olivia trouvait sa proximité de plus en plus difficile à supporter.

— Vraiment ? fit-elle avec un rire nerveux.

Elle regretta immédiatement sa faiblesse ; les yeux de Nick Baretta se rétrécirent.

— Serais-je par hasard en train de vous amuser, Miss Courtney ?

Frissonnant sous la menace contenue dans ses paroles, elle se ressaisit :

— Je plaisantais... s'excusa-t-elle.

— A mes dépens ?

— Ne me parliez-vous pas de Simonetta ?

Il la regarda en silence, puis il se détendit tout à coup et prit un cigare dans la poche intérieure de sa veste. La jeune fille poussa un soupir de soulagement.

— Elle avait douze ans lorsque ses parents moururent. Ma mère la recueillit, et, depuis les huit dernières années, elle vit ici.

Il eut un bref sourire et reprit :

— Je crois qu'elle me considère un peu comme une figure paternelle, ajouta-t-il. Ce n'est guère flatteur pour moi, d'ailleurs.

— Et.. qu'est-ce que Greg représente pour elle, exactement ?

— Elle est amoureuse de lui.

Olivia en resta sans voix. Elle s'empourpra violemment en se souvenant des attitudes de la jeune femme depuis son arrivée. Comment n'avait-elle pas compris plus tôt ? Etait-elle donc sotte ? Cela lui paraissait tellement évident, maintenant, qu'elle eut honte de sa stupidité.

Sa confusion se transforma en colère lorsqu'elle entrevit les conséquences de sa présence au *Palazzo Baretta.* Elle n'avait aucune envie de voir Simonetta souffrir par sa faute.

— Pourquoi ne m'avez-vous pas prévenue ? s'écria-t-elle, furieuse.

— Qu'est-ce que cela aurait changé ? Vous seriez venue de toute façon ; elle n'en aurait pas moins aimé Greg pour autant.

— Vous rendez-vous compte dans quelle situation vous me mettez ?

— Comme c'est triste ! se moqua-t-il. Il est même tragique de savoir que vous allez être obligée de rentrer en compétition.

Olivia releva vivement la tête.

— Que voulez-vous dire par compétition ? Je vous ai déjà déclaré que je n'épouserais pas votre frère.

Il se mit à rire, et le sang de la jeune fille se glaça dans ses veines.

— Effectivement, vous me l'avez dit, mais peut-être ne vous êtes-vous pas montrée assez convaincante...

— Que voulez-vous que je fasse ? Que je l'écrive sur mon front ? explosa-t-elle.

— Ne me provoquez pas, Olivia, lui conseilla-t-il après un temps. Vous risqueriez de le regretter.

Il s'éloigna de la fenêtre. Aveuglée par le soleil dont il lui faisait rempart un instant auparavant, la jeune fille ne le vit pas s'approcher d'elle. Ce fut seulement lorsqu'il lui fit à nouveau de l'ombre qu'elle se rendit compte à quel point il était près d'elle et elle s'en alarma.

— Croyez-vous qu'elle vous laissera le champ libre ? continuait-il d'un ton doucereux. Qu'elle vous laissera lui voler l'homme de sa vie sans lever le petit doigt ? Elle se jettera à corps perdu dans la bataille...

— Elle n'en aura pas besoin, rétorqua-t-elle en essayant d'ignorer le trouble que sa proximité éveillait en elle. Je n'ai aucune intention d'entrer dans la bataille, et vous le savez parfaitement.

— Il y a une chose que je sais, dit-il d'une voix menaçante en enfouissant sa main dans les cheveux de la jeune fille et en laissant courir ses doigts dans les boucles brunes et si douces. Vous êtes très intelligente, mais peut-être pas suffisamment... Je ne tolèrerai pas que mon frère perde la tête pour vous.

— Vraiment ? siffla-t-elle entre ses dents.

Il lui fit mal lorsqu'il lui inclina la tête en arrière.

— Jamais vous n'auriez pu aboutir aux mêmes résultats avec moi.

Ses mots sonnaient comme une menace, et elle

tenta de s'écarter, effrayée par la façon dont elle réagissait à son contact. Contre toute raison, cet homme pourtant haïssable produisait sur elle un effet dévastateur. Ses jambes faiblissaient, son cœur battait à tout rompre...

— Je me moque de votre frère ! cria-t-elle tandis qu'il l'attirait contre lui.

Il l'observa avec des yeux brusquement assombris.

— Je sais, murmura-t-il, alors que, déjà, elle se sentait fondre dans ses bras. Parce que c'est moi que vous voulez.

Ils se regardèrent un instant en silence, et elle faiblit encore, vaincue par le magnétisme qui se dégageait de lui.

— Je... je ne veux rien avoir à faire avec vous, balbutia-t-elle.

— Non ?

Il resserra encore son étreinte.

— Eh bien, convainquez-m'en.

Sa tête brune s'approcha doucement de celle d'Olivia et il prit ses lèvres, lentement, savamment, la laissant pantelante. Puis il s'écarta un peu, afin de la regarder, peut-être pour s'assurer du pouvoir qu'il exerçait sur elle, avant de revenir cueillir un nouveau baiser auquel, cette fois, elle répondit. Une douce chaleur s'insinua en elle, mais il cessa à nouveau de l'embrasser. Alors, vaincue, elle se pressa elle-même contre lui et lui offrit ses lèvres frémissantes.

Il enroula ses bras puissants autour d'elle et la serra contre lui, s'emparant à nouveau de sa bouche, plus violemment cette fois. Elle se lova contre lui, frémissante.

Il releva la tête pour regarder le visage rosi de la jeune fille.

— Vous voyez ? murmura-t-il d'une voix altérée.

Vous me désirez autant que je vous désire, admettez-le.

Olivia chancela, et il la retint. Bouleversée, la respiration accélérée, elle se demandait pourquoi ses baisers l'affectaient autant, pourquoi tout son corps s'embrasait instantanément dès qu'il posait un doigt sur elle.

— Olivia ?

— Je vous en prie, Nick...

— Il m'arrive la même chose qu'à vous, ne le voyez-vous pas ? insista-t-il en lui prenant la main et en l'effleurant de ses lèvres. Moi aussi j'ai le vertige, moi aussi je perds la tête... J'accepterais n'importe quoi pour faire l'amour avec vous, n'importe quoi !

La jeune fille se raidit, son corps se glaça tout à coup. Elle se souvint brusquement de tout ce qui les opposait. Lui semblait l'avoir oublié : seul son désir pour elle, la seule chose qu'elle lui inspirât, le guidait. L'entendre le proférer ainsi la blessait.

— Vous pourriez faire ce que vous voulez, cela ne changerait rien !

Il s'apprêtait à répliquer quand de légers coups frappés à la porte l'en empêchèrent.

— J'apporte la valise de la demoiselle, patron, dit une voix derrière le battant.

Nick lâcha la jeune fille à contrecœur et alla ouvrir.

— Pose-la ici, commanda-t-il à Tonino qui entra et jeta un regard embarrassé à Olivia.

— La Signora Baretta vous attend au salon...

— Bon, bon ! s'irrita Nick, visiblement furieux d'avoir été dérangé.

Confuse, Olivia le suivit, et Tonino leur emboîta le pas. Ils traversèrent silencieusement le long corridor qui menait à la volée de marches conduisant au rez-de-chaussée. Seul résonnait le bruit de leurs talons sur les dalles de pierre. La jeune fille se félicita soudain d'avoir appelé sa sœur avant de quitter New York pour lui communiquer le numéro de téléphone où elle pourrait la joindre en Sicile. Tonino avait finalement accepté de le lui donner, après avoir refusé de lui divulguer l'adresse du *Palazzo Baretta.* Ainsi, quelqu'un au moins pouvait la joindre. A présent, elle avait l'impression de marcher entre ses deux geôliers... vers une prison encore plus hostile.

L'attitude de Nick à son égard la laissait perplexe : lui vouloir du mal tout en la désirant formait une contradiction dangereuse. Etrangement, au lieu de se lasser de la tourmenter, il semblait de plus en plus déterminé à ne pas lui accorder une minute de répit...

Lorsqu'ils regagnèrent le salon, Greg et Simonetta n'y étaient plus. Nick s'appuya nonchalamment contre le mur ; il avait retiré sa veste et ouvert le col de sa chemise blanche, laissant entrevoir la peau bronzée de sa gorge.

— Quelqu'un a-t-il vu Lala ? s'enquit Tonino en refermant la porte derrière lui.

La Signora Baretta leva la tête.

— Elle fait des courses au village, répondit-elle avec un sourire amusé.

— Ah ? fit Tonino, déçu.

— Qui est Lala ? s'enquit Olivia.

— Ma fiancée. Elle trouve le moyen d'aller en courses le jour où je reviens à la maison !

La maîtresse des lieux se mit à rire.

— Elle est impatiente de vous voir, Nino, lui dit-elle gentiment, mais je l'ai envoyée chercher deux ou trois choses pour le dîner. Ne vous inquiétez pas, elle ne va pas tarder.

Tout à coup, des coups violents furent frappés à la porte d'entrée. Tonino regarda Nick qui se redressa en fronçant les sourcils.

— Que diable se passe-t-il ? s'étonna ce dernier d'un air perplexe.

Les coups redoublèrent, et les deux hommes se précipitèrent dans le vestibule. Inquiète, Olivia se leva lentement ; les bruits d'une conversation en italien lui parvenaient mais ils parlaient beaucoup trop vite et elle ne comprenait rien.

— Qu'est-ce que cela signifie ? demanda-t-elle à son hôtesse.

— Mieux vaut attendre : ils nous le diront le moment voulu.

Mais la jeune fille, incapable de s'armer de patience, ne put s'empêcher de se glisser dans le hall pour aller aux nouvelles.

— Que faites-vous ici ? l'interpella Nick en se retournant vivement vers elle.

— Elle ne comprend pas l'italien, lui rappela Tonino d'un ton apaisant.

— Surveille-là jusqu'à mon retour, lui ordonna son patron avant de quitter la maison avec son visiteur.

Olivia les regarda s'éloigner d'un pas pressé, dans le jardin baigné de soleil. Elle se demandait si l'on avait à nouveau attaqué l'un des bureaux de Nick Baretta. Après tout, il dirigeait peut-être des succursales à Palerme ?

— Que se passe-t-il ? s'enquit la Signora Baretta quand ils la rejoignirent au salon.

— C'est Gina Rocco, expliqua Tonino. La femme de Vincente Rocco.

— Gina Rocco ? Mais... Je la connais bien. Que lui est-il arrivé ?

— Vincente l'a surprise avec un autre homme... Il est parti à leur poursuite.

La Signora Baretta pâlit et fixa Tonino avec des yeux épouvantés.

7

Simonetta descendit une heure après le départ de Nick. La nouvelle de la mésaventure de Gina l'affligea profondément : celle-ci était une amie de longue date de la famille Baretta. Tout le monde se montrait fort préoccupé, à présent.

Incapable de supporter plus longtemps la tension qui s'était installée, Olivia décida de monter voir Greg. Simonetta l'avait laissé endormi, mais peut-être était-il réveillé à présent ? Peut-être avait-il envie de parler à quelqu'un ?

Quand elle pénétra dans sa chambre, il était encore assoupi. Elle s'approcha de la fenêtre ouverte. Une brise légère agitait les rideaux de dentelle blanche. La mer, au-delà des collines, miroitait au soleil. Le grésillement incessant et lancinant des grillons rompait le silence de la nature paisible.

Olivia revint vers le jeune homme et observa son visage détendu par le sommeil. Le voyage l'avait certainement fatigué. Doucement, Greg ouvrit les yeux.

— Olivia ? murmura-t-il. Je m'attendais à voir Simonetta. Où est-elle ?

— Ne t'inquiète pas, elle va bientôt revenir. Tu devrais te reposer encore un peu.

Il hésita un bref instant, puis un soupir d'épuisement s'échappa de ses lèvres, et il referma les yeux pour plonger à nouveau dans le sommeil. La jeune fille quitta alors la pièce à pas de loup.

Elle parvenait au milieu de l'escalier lorsqu'elle entendit du bruit dans le vestibule. C'était Nick : il la regardait en plissant ses yeux gris.

— Où étiez-vous ? s'enquit-il lentement. Dans votre chambre ?

— Non, j'étais auprès de Greg.

— Vraiment ? Quelle chance il a ! Croyez-vous que si moi-même j'étais...

La porte du salon s'ouvrit, et il dut s'interrompre.

— Nick ! Tu es là ! Et nous qui t'attendions de l'autre côté ! s'exclama la Signora Baretta.

Elle observa brièvement son fils et la jeune fille, qui, embarrassée, descendit le reste des marches.

— Alors ? continua-t-elle. Et Gina ?

— Elle va bien. Nous l'avons trouvée avant Vincente.

Sa mère poussa un soupir de soulagement.

— Que se serait-il passé si tel n'avait pas été le cas ? ne put s'empêcher de demander Olivia.

Nick se contenta de hausser les sourcils, sans répondre. La jeune Anglaise lissa nerveusement les plis de sa robe blanche, et pénétra dans le salon tandis que Simonetta et Tonino rejoignaient la Signora Baretta et son fils. Ce dernier s'empressa de leur raconter les péripéties de sa poursuite et la colère de Vincente Rocco contre sa femme infidèle.

Olivia connaissait les Siciliens de réputation. Leur sens de l'honneur particulièrement développé n'était ignoré de personne. Pourtant, elle ne parvenait pas à comprendre ce peuple : ses réactions lui paraissaient quelque peu archaïques. Elle décida de ne pas s'attarder sur ce sujet, et contempla le jardin qui semblait assoupi sous le soleil encore chaud mais déjà déclinant de cet après-midi. Le chant des grillons, invisibles dans les fourrés et les buissons, s'intensifiait.

La jeune fille se retourna lorsqu'on frappa à nouveau à la porte. Quelques instants plus tard, elle vit apparaître une inconnue sur le seuil de la pièce.

— Bonjour, dit-elle en s'avançant vers elle pour lui tendre la main. Vous devez être Olivia. Je suis Giulia, la fiancée de Tonino.

— Bonjour, répondit Olivia, étonnée.

Très brune, la nouvelle venue avait un type italien marqué, avec ses cheveux noirs comme le jais, ses yeux sombres et veloutés, son nez droit. Une lueur de gaieté illuminait son visage : on la sentait prête à rire au moindre prétexte.

— Je croyais que vous vous appeliez Lala, ajouta-t-elle.

La jeune fille prit un air faussement offensé.

— C'est encore un tour de Tonino ! plaisanta-t-elle alors que celui-ci les rejoignait. Je finirai par changer de fiancé car il est vraiment insupportable !...

Tonino se mit à rire.

— Giulia chante tout le temps, comme ceci : la, la, la, la, la... Je l'ai donc surnommée Lala :

Lala ramassa son panier en osier et en frappa le jeune homme qui riait de plus belle.

— Il est temps que j'aille préparer le dîner, dit-elle à Olivia. A tout à l'heure !

Sur ce, elle se mit à pousser Tonino en direction de la cuisine, sous l'œil amusé d'Olivia. Ils formaient un couple parfaitement assorti, songea-t-elle.

Le dîner fut servi à huit heures. Olivia revêtit une robe légère aux impressions vertes et blanches, et descendit dans la salle à manger où se tenait déjà Nick accoudé au manteau de la cheminée. Il l'accueillit avec un regard admiratif et s'attarda à contempler ses cheveux sombres qui tombaient souplement sur ses épaules dénudées, le fin collier en or qui brillait autour de son cou.

— Exquise, murmura-t-il quand son regard glissa le long de son corps, le déshabillant, lui ôtant ses vêtements un à un...

— Merci, répondit-elle calmement, déterminée à ne pas se laisser troubler. Où sont les autres ?

Il haussa négligemment les épaules, et elle le trouva très séduisant dans son costume sombre, à la coupe parfaite, qui épousait fidèlement chacun de ses gestes.

— Ils ne vont pas tarder, dit-il en posant son verre. Voulez-vous un apéritif ?

— Oui, quelque chose de frais, par exemple.

Il lui apporta peu après un Martini avec des glaçons. Ses longs doigts effleurèrent les siens lorsqu'il le lui tendit, et elle frissonna.

— Ne seriez-vous pas un peu nerveuse, ce soir ? remarqua-t-il avec perspicacité. Votre visite à Greg en est-elle la cause ?

Décidée à ignorer ses sarcasmes, Olivia ne daigna même pas répondre.

Les autres membres de la famille descendirent un moment après, et ils allèrent s'installer tous ensemble dans la salle à manger, autour de la grande table de bois vernis.

Nick s'assit à la place d'honneur, Olivia à sa droite. Elle n'avait malheureusement pas le choix, et elle dut supporter à plusieurs reprises son regard gris, froid comme l'acier, qui s'attardait sur elle.

Giulia leur servit tout d'abord une *caponata*, ce plat froid composé d'aubergines, de câpres, d'olives, de tomates et de céleri. Surprise par le goût étrange de ce met, Olivia s'y habitua très vite et finit par le trouver délicieux.

— Pauvre Gina, dit la Signora Baretta alors que la conversation glissait sur la mésaventure de la jeune femme.

— Elle aime trop les hommes, intervint Lala. Moi, je ne la plains pas.

— Vous voulez dire, rectifia Nick en souriant, que les hommes l'aiment trop. Elle est d'ailleurs très attirante, n'est-ce pas, Tonino ?

Celui-ci se mordit les lèvres et jeta un coup d'œil embarrassé à sa fiancée qui le regardait avec une feinte sévérité.

— Eh bien, à vrai dire... elle n'est pas mon type, répondit prudemment Tonino tandis qu'une lueur amusée éclairait son visage.

Olivia se divertissait de les entendre, sans prendre part à la conversation, mais la Signora Baretta ne tarda pas à s'adresser à elle.

— J'aimerais organiser cette soirée que Greg attend avec tant d'impatience. Qu'en pensez-vous ?

Un court silence s'installa. Tout le monde semblait attendre la réponse de la jeune fille, particulièrement Nick...

— C'est une excellente idée, admit-elle enfin. Mais peut-être devriez-vous demander à Greg s'il ne vaudrait pas mieux...

La Signora Baretta parut surprise et l'interrompit :

— Ma chère enfant, s'exclama-t-elle, il s'agit de la réception de vos fiançailles !

Olivia frémit et lança un regard désespéré en direction de Nick.

Après le dîner, elle s'échappa dans le jardin. A la lueur de la lune, la nuit revêtait une profondeur bleutée, argentée. Les branches des arbres projetaient leur ombre incertaine sur la façade de la maison. L'air était encore tiède, et les grillons infatigables égrenaient inlassablement leur mélopée stridente.

Olivia poussa un soupir et s'adossa au tronc d'un arbre. Ainsi, Greg avait prévu cette réception, et Nick ne semblait pas décidé à intervenir... Pourquoi le ferait-il, d'ailleurs, se demanda-t-elle avec irritation. Il se moquait bien de la mettre dans l'embarras ! Un jour, il se montrait résolument opposé à la voir épouser son frère, le lendemain, il la poussait un peu plus en avant dans une situation de non retour.

La gorge serrée,Olivia trouvait que le piège se refermait de plus en plus étroitement sur elle...

Elle reconnut soudain l'odeur de son cigare et comprit qu'il se tenait là, tout près, derrière elle.

— Que voulez-vous ? s'enquit-elle en se retournant.

Il se rapprocha d'elle tranquillement avant de répondre.

— A quoi pensiez-vous ? s'enquit-il brusquement.

— Vous devriez vous en douter !

— A Greg ? fit-il sèchement.

— Vous ne croyiez tout de même pas que je prendrais la nouvelle avec le sourire ?

— Ne vouliez-vous donc pas vous marier avec lui ? C'était l'assurance d'une vie facile, agréable...

— Oh, taisez-vous ! Il est inutile de discuter avec vous, je m'en suis déjà rendu compte.

Il secoua lentement la tête avec un petit sourire.

— Vous commencez donc à comprendre qu'on ne me leurre pas facilement...

Cette voix profonde et chaude, ces yeux gris qui la scrutaient intensément malgré l'obscurité emplissaient la jeune fille d'un étrange émoi. Elle comprit tout à coup qu'elle devait sortir immédiatement du couvert des arbres.

— J'en ai assez ! s'écria-t-elle en s'éloignant de quelques pas.

Mais, rapide comme l'éclair, il n'eut qu'un geste à faire pour agripper son poignet et la ramener vers lui.

— Très bien, admit-il. Admettons que je vous croie : mon frère ne vous intéresse pas. J'avais imaginé, en revanche, que je ne vous laissais pas indifférente... Peut-être pourrions-nous...

L'espace d'un instant, trop ulcérée pour répliquer, Olivia perdit contenance. Puis, elle tenta de se contrôler et proféra d'une voix blanche :

— Mais pour qui vous prenez-vous donc, monsieur Baretta ? Vous me faites rire ! Des hommes comme vous, j'en connais des dizaines, des centaines, vous êtes tous taillés sur le même modèle, certains, parce qu'une femme est mannequin, qu'elle est automatiquement une fille légère à laquelle il est permis de manquer de respect !

Elle le vit blêmir. Il resserra la pression de ses doigts sur son poignet.

— Attention, Miss Courtney, menaça-t-il sur un ton sinistre. Ne vous avisez pas de m'insulter, vous n'auriez pas le dernier mot et le regretteriez amèrement.

— Qu'est-ce à dire, monsieur Baretta ? Vous n'aimez pas entendre la vérité ? rétorqua-t-elle courageusement.

Il libéra son bras pour venir emprisonner la gorge de la jeune fille dans ses longs doigts fins.

— Je suis un ennemi très dangereux, prenez garde !

Un frisson courut le long du dos d'Olivia.

— Vous me faites mal, se plaignit-elle.

Il sourit, d'un sourire qui ressemblait plutôt à une grimace.

— Et si j'y prenais plaisir ? Il y a quelque chose en vous qui éveille en moi des instincts... meurtriers.

— Je l'avais remarqué, répondit-elle sans réfléchir, tentant de se persuader qu'il voulait seulement l'effrayer.

— Ravi de vous l'entendre dire. Je commençais à croire que la communication ne passait pas, entre nous.

Olivia le regarda en silence. Pourquoi cet homme avait-il le don de faire battre son cœur aussi vite ? Il glissa lentement une main autour de sa taille, sans la quitter des yeux.

— Car quelque chose passe indéniablement entre nous, n'est-ce pas ?

— Oui, avoua-t-elle dans un souffle, hypnotisée.

Il resserra son étreinte et la plaqua contre lui. Puis il voulut l'embrasser, mais elle ferma les lèvres. Alors il les effleura des siennes, et, vaincue, elle lui ouvrit enfin le chemin de ce baiser qu'il réclamait en lui infligeant une torture trop délicieuse. Il referma encore ses bras autour d'elle et ils restèrent là, accrochés presque désespérément l'un à l'autre, hors du temps.

Quand, perdant le souffle, ils reprirent leur respiration, Olivia glissa une main sous sa chemise entrouverte : le cœur de Nick battait aussi vite que le sien. Sa peau était chaude, brûlante...

Leurs corps, soudés l'un à l'autre, ne faisaient plus qu'un. Ils sombraient ensemble dans le même océan de plaisir qui les engloutissait dans des profondeurs où ni l'un ni l'autre ne s'était jamais aventuré. Leur baiser devint plus exigeant, plus violent. Le désir montait en eux avec une rapidité déconcertante, fulgurante.

Un bruit de pas les surprit tout à coup et ils se séparèrent dans un sursaut en se tournant vers la maison illuminée.

Debout sur la terrasse, Simonetta les observait. Olivia considéra son compagnon d'un air acerbe, puis elle regagna la maison en évitant de croiser le regard de la jeune fille, un regard stupéfait et amusé à la fois.

Elle monta directement dans sa chambre où elle se jeta sur son lit. Maintenant, Simonetta savait... Elle s'empresserait inévitablement de raconter la scène à tout le monde, à moins que Nick n'ait le temps de l'en dissuader. Olivia serra les dents, comme si ce geste pouvait apaiser le sentiment d'humiliation qui la torturait. A trente sept ans, Nick était encore célibataire. Les femmes n'avaient pas dû manquer, dans sa vie, mais sans doute avait-il trouvé plus pratique de disposer d'elles et de s'en débarrasser dès que commençaient à poindre des signes de lassitude. A présent, il considérerait Olivia comme l'une de ces infortunées... Il ne tarderait pas à se fatiguer d'elle...

Eh bien, non! décida-t-elle, dans un sursaut de rébellion. C'était elle qui tenait les rênes, cette fois. Elle partirait avant qu'il ait eu le temps de la conquérir.

Forte de ces pensées réconfortantes, elle se leva pour fermer sa porte à double tour, se déshabilla puis se mit au lit.

Le lendemain matin, lorsqu'elle descendit déjeuner, elle croisa Simonetta dans le hall et baissa la tête. La jeune fille lui lança un regard appuyé mais respecta son embarras et continua son chemin sans engager la conversation.

Nick l'avait vraiment placée dans une situation

délicate. Olivia pénétra dans la cuisine avec un peu d'appréhension, mais s'aperçut, à son grand soulagement qu'il ne s'y trouvait pas.

— Bonjour ! lui dit Lala qui s'affairait avec ardeur autour de la cuisinière. Avez-vous bien dormi ?

Olivia acquiesça en souriant et s'installa à table, sur une chaise de bois massif.

— Le café est-il encore chaud ? s'enquit-elle en désignant la cafetière.

— Bien sûr, répondit Lala qui s'empressa de lui en servir une tasse.

— On dirait qu'il n'y a personne dans la maison ; tout le monde est donc sorti, ce matin ?

— Oui, comme tous les jours... Pourquoi ? Vous vous sentez seule ? Ne vous inquiétez pas, j'ai acheté quelques livres anglais. Vous pourrez faire la lecture à Greg, si vous le désirez.

Ainsi Olivia passa la matinée dehors, sous un beau soleil, à lire au jeune homme des histoires simples, distrayantes. Il lui en fut reconnaissant mais demeura un peu nerveux. Il finit par lui confier qu'il aurait préféré descendre au village pour voir ses amis. Estimant que le trajet jusqu'à Solunto l'aurait inévitablement fatigué, Olivia l'en dissuada. Il n'avait pas encore recouvré toutes ses forces.

Elle apprit un peu plus tard que Tonino et Nick s'étaient rendus à Palerme ; elle en conclut que ce dernier avait aussi un bureau en ville.

Dans l'après-midi, après le déjeuner, elle dut se retirer elle aussi dans sa chambre, pour la sieste. Tout le monde, au *Palazzo Baretta*, respectait fidèlement cette coutume sicilienne au moment de la journée où le soleil était le plus chaud.

Mais Olivia se sentait trop agitée pour dormir. Elle aurait aimé aller se promener au village mais dut y renoncer. En effet, elle ne connaissait ni le chemin de Solunto, ni les gens de ce pays étrange, un peu mystérieux.

A sept heures, elle aidait Lala à préparer le dîner dans la cuisine, quand Nick rentra avec Tonino.

— Hum... Cela sent bon ! commenta celui-ci en soulevant le couvercle de la marmite.

— Ne touche pas ! s'écria Lala en riant. As-tu passé une bonne journée ?

— Pas mauvaise, répondit-il en embrassant furtivement sa fiancée dans le cou.

— Et vous ? demanda Nick à Olivia, en mettant les mains dans les poches. Qu'avez-vous fait ?

La jeune fille appréhendait de lui dire que si elle avait passé la matinée dans le jardin avec Greg, l'après-midi, elle s'était retirée dans la chambre de ce dernier après la sieste, pour lui faire la lecture.

— Pas grand-chose, éluda-t-elle.

Lala se retourna alors vers eux avec un grand sourire.

— Je lui ai donné des livres, ce matin, pour qu'elle puisse distraire un peu Gregorio. Elle s'est occupée de lui toute la journée !

Un silence suivit son intervention. Déjà, Nick plissait les yeux en regardant Olivia.

— Où ? s'enquit-il d'une voix dangereusement calme.

Olivia passa sa langue sur ses lèvres sèches.

— Ici et là, répondit-elle évasivement.

— Dans sa chambre ? insista-t-il.

Olivia soutint son regard en opinant de la tête. Nick s'adressa alors à Lala.

— Ne me comptez pas à table. Je sors, et je ne sais pas à quelle heure je rentrerai.

Sur ce, il tourna les talons. Ils entendirent ses pas décroître rapidement dans le vestibule, puis la porte d'entrée claquer derrière lui. Le grondement sourd du moteur de sa voiture ronfla peu après pour s'atténuer avec l'éloignement.

Tonino et Lala échangèrent un regard perplexe.

— Il semble de bien mauvaise humeur! lança Olivia avec une légèreté feinte, incapable de supporter plus longtemps le silence qui s'était installé. Etait-il dans les mêmes dispositions toute la journée?

— Oui, répondit Tonino en la considérant avec gentillesse. Oh, ce n'est pas grave, cela ira mieux demain!

— Il travaille trop, sans doute, remarqua Olivia avec insouciance.

Pourtant, elle ne parvenait pas à cacher son malaise, et elle finit par poser le torchon qu'elle tenait.

— Je vais voir Greg, dit-elle en s'esquivant.

Olivia en voulait à Nick de l'avoir mise dans l'embarras devant les jeunes gens. Si elle avait passé sa journée avec Greg, c'était simplement parce qu'elle s'ennuyait autant que lui.

Elle avait également mis à profit son oisiveté pour observer attentivement le comportement du jeune homme envers elle. Soulagée, elle avait compris qu'en réalité, il ne l'avait jamais vraiment aimée. Sa rupture avait surtout blessé un orgueil démesuré, pas un cœur éperdu d'amour. Le fait qu'elle l'ait rejeté l'avait aussi rendue plus désirable à ses yeux. Olivia était certaine qu'il ne tarderait pas à s'en rendre compte. Mais jusque-là... il lui faudrait s'armer de patience et apprendre à tuer le temps.

Nick rentra tard dans la nuit. Olivia ne dormant pas, elle reconnut ses pas dans le couloir. Son cœur se mit à battre plus vite lorsqu'elle l'entendit ralentir puis s'arrêter devant sa chambre. Elle retint sa respiration, évitant de faire le moindre geste qui pût lui indiquer qu'elle ne dormait pas. Au bout d'un moment, elle constata qu'il s'éloignait enfin.

Elle fut réveillée en sursaut un peu plus tard. Etendue dans la pénombre, elle tendit l'oreille vers la pièce voisine : elle avait cru entendre Greg appeler. Afin de s'en assurer, elle alluma sa lampe de chevet, se leva et enfila sa robe de chambre.

Attentive au moindre bruit, elle se glissa dans le couloir et pénétra en silence dans la chambre du jeune homme.

— Greg ? appela-t-elle dans un souffle, scrutant l'obscurité. Tout va bien ?

Il remua dans son lit ; sans doute faisait-il un cauchemar. Elle referma précautionneusement la porte derrière elle, et retint sa respiration quand le loquet claqua malgré tout. Ses yeux commençant à s'accoutumer à la pénombre, elle s'approcha du lit et distingua le visage de Greg. Son mauvais rêve continuait certainement car il s'agitait dans son sommeil.

Tout à coup, la porte s'ouvrit derrière elle, et Olivia frémit. En se retournant, elle discerna la haute silhouette de Nick qui se découpait dans l'encadrement, et son cœur bondit d'effroi dans sa poitrine.

Il tendit la main pour appuyer sur l'interrupteur. En une seconde, il vit la scène : assise sur le bord du lit, Olivia le regardait avec des yeux agrandis par la peur. A côté d'elle, Greg dormait toujours.

— Sortez d'ici ! articula Nick entre ses dents, en faisant des efforts visibles pour contenir sa fureur afin de ne pas réveiller son frère.

Vêtu d'un peignoir blanc qui faisait ressortir le hâle de sa peau, il se tenait immobile, mais semblait prêt à bondir sur elle. Elle sentit ses jambes faiblir quand elle se leva, mais elle avança courageusement vers lui.

— Il a eu un cauchemar, expliqua-t-elle dès qu'il eut refermé la porte derrière eux.

Pour toute réponse, il l'attrapa par le bras et lui ordonna de se taire en l'entraînant jusqu'à sa chambre qu'elle n'aurait jamais dû quitter.

Une lueur féroce brillait dans ses yeux gris, et elle s'écarta craintivement.

— Je l'ai entendu appeler, expliqua-t-elle en avalant sa salive avec difficulté.

— C'est curieux... Moi, je n'ai rien entendu.

Elle recula tandis qu'il avançait vers elle, comme un fauve prêt à fondre sur sa proie.

— Comment saviez-vous que j'étais allée le voir ?

— Je vous ai entendue vous lever.

Il était trop près, maintenant, et Olivia se mit à trembler, furieuse en même temps de perdre ainsi son sang-froid. Pourquoi se mêlait-il de ce qu'elle faisait, après tout ?

— Oh ! laissa-t-elle échapper quand son dos toucha le mur derrière elle, mettant un point final à sa retraite.

— Oui, oh ! répéta-t-il en lui saisissant les cheveux pour incliner sa tête en arrière. Ainsi vous prétendez vous moquer de son sort... Et vous accourez à son chevet à la moindre occasion !

— Il faisait un cauchemar, insista-t-elle en essayant de lui échapper.

Mais il accentua son emprise et elle gémit faiblement.

— Me prenez-vous pour un idiot ? J'aurais dû m'en douter... Vous avez un tempérament bien trop passionné pour supporter longtemps l'abstinence !

Olivia pâlit sous l'insulte.

— Vous êtes dégoûtant ! Ne pensez-vous jamais à autre chose ?

— Pas quand il s'agit de vous. Croyez-vous que je ne voie pas clair dans votre jeu ? Vous vous êtes permis de l'abandonner uniquement parce que vous saviez qu'il vous reviendrait. Et quand je suis apparu sur la scène, vous vous êtes dit : « Pourquoi ne pas tenter ma chance auprès du grand frère ? Après tout, c'est lui qui détient les cordons de la bourse... »

La fureur la laissa sans voix. Elle parvint cette fois à se dégager, et, ulcérée, elle lui infligea une gifle retentissante. Après un instant de surprise, il reprit vite ses esprits. Il abaissa vers elle un visage défait et s'empara de ses lèvres avec rage. Olivia dut subir un baiser violent, vengeur, uniquement destiné à la punir. Elle eut beau se démener, il était beaucoup trop fort pour elle. Pourtant, il dut faiblir un instant, car elle parvint tout à coup à le repousser.

— Si jamais vous essayez de recommencer, je hurle ! s'écria-t-elle en le défiant du regard.

— Eh bien, hurlez ! l'invita-t-elle avec un mauvais sourire.

Il s'approcha d'elle à nouveau. Alors, Olivia prit sa respiration et poussa un cri strident.

Nick Baretta s'arrêta net et la regarda avec incrédulité.

Un profond silence suivit, puis ils entendirent des mouvements dans la maison. Furieux de se voir réduit à l'impuissance, il avait pâli.

La porte s'ouvrit enfin et la Signora Baretta entra dans la pièce. Elle s'arrêta net en les apercevant tous les deux : la plus grande stupéfaction se peignit sur son visage.

— Allez au diable ! cria Nick à Olivia.

Puis il tourna les talons et sortit.

Frappée de stupeur, sa mère considéra la jeune

fille sans rien dire, pendant un moment. Puis, elle sembla recouvrer ses esprits et lui demanda :

— Vous allez bien ?

Les joues empourprées, Olivia acquiesça de la tête. La vieille dame l'observa un instant, avant de se retirer sans ajouter un mot.

8

Durant les trois jours qui suivirent, Olivia ne vit pas Nick. Elle ne fit que l'apercevoir brièvement, le soir, lorsqu'il rentrait avec Tonino pour repartir peu après passer la soirée en ville avec des amis. Elle passait ses journées à aider Lala et la Signora Baretta aux tâches ménagères, ou à tenir occasionnellement compagnie à Greg.

Succombant à la chaleur de plus en plus intense du soleil, l'herbe du jardin jaunissait déjà. En été, la Sicile connaissait parfois des canicules aussi fortes que l'Afrique. Tout brûlait sous les rayons trop ardents de l'astre de feu.

— J'en ai assez d'être confiné ici, lui confia Greg, un après-midi où ils paressaient dehors, après la sieste.

Il arracha une feuille d'un arbre et la chiffonna nerveusement entre ses doigts.

— Nick se croit toujours obligé de me dicter mon emploi du temps, continua-t-il. Mais je ne vois pas pourquoi, je vais beaucoup mieux maintenant, n'est-ce pas ?

— Bien sûr, Greg, répondit-elle distraitement, en souriant.

Levant les yeux, Olivia vit Simonetta qui s'approchait d'eux, particulièrement à son avantage dans une robe blanche.

Elle offrit à Greg un sourire timide.

— *Ciao*, dit-elle.

— Bonjour, répondit le jeune homme en se levant pour l'accueillir. Tu t'ennuies toi aussi ?

— Jamais quand je suis avec toi, répondit gaiement la jeune femme en lui prenant la main. Viens te promener.

Olivia remarqua que le visage de Greg s'était transformé depuis l'arrivée de Simonetta... Elle se demandait, depuis quelque temps, si Simonetta ne comptait pas plus pour lui qu'il n'y paraissait.

Ils allaient s'éloigner lorsqu'il se retourna vers la jeune fille.

— Désolé ! lança-t-il avec un air d'excuse. Veux-tu venir ?

— Non, merci, répondit Olivia en souriant. Je vais rentrer.

Tout en regagnant la maison, elle s'interrogeait une fois de plus : pourquoi Simonetta n'avait-elle rien dit à Greg au sujet du baiser qu'elle avait surpris ? Peut-être était-elle assez sensée pour comprendre que tout finirait par rentrer dans l'ordre.

Lorsqu'elle descendit le lendemain matin, pour déjeuner, elle ne s'attendait pas à trouver Nick attablé devant son café, dans la cuisine. Il leva les yeux de son journal quand elle s'assit en face de lui.

— Comment allez-vous ? demanda-t-il poliment.

— Bien, répondit-elle avec un sourire incertain.

Elle se servit une tasse de café et demeura silencieuse.

— Je ne travaille pas aujourd'hui, annonça-t-il tout à coup.

— Ah ?

Apparemment agacé par son mutisme, Nick replia nerveusement son journal.

— Je pensais que nous pourrions aller à Palerme, ajouta-t-il sèchement... Eh bien ? Voulez-vous venir ou non ?

Abasourdie par cette proposition inattendue, Olivia hésitait.

— Je... en fait, je... balbutia-t-elle finalement. Mais...

— Oui ou non ? s'irrita-t-il.

— Eh bien, oui !

Elle le considéra d'un air rebelle. Au lieu d'une invitation, il s'agissait plutôt d'un ultimatum !

— Nous partons dans une demi-heure, décida-t-il en se levant.

Sur ce, il quitta la pièce, laissant Olivia perplexe. Que cachait cette soudaine attention qu'il lui portait ?

Palerme était une ville très animée. Une foule bavarde et volubile se pressait dans les rues étroites. De petits groupes s'arrêtaient devant des marchands ambulants ou des boutiques, tout en continuant à parler et à gesticuler. Les Siciliens avaient pour la plupart des visages avenants. De nombreux regards suivaient Olivia tandis qu'elle marchait aux côtés de Nick.

Ils traversèrent un quartier où du linge séchait à presque toutes les fenêtres. Des femmes s'étaient réunies devant leurs portes pour bavarder. Elles aussi remarquèrent la belle Anglaise qui se promenait.

— Avez-vous soif ? s'enquit Nick comme ils arrivaient sur une vaste place peuplée de fontaines et de statues.

— Très, acquiesça Olivia tout en admirant le dôme d'une immense église.

Chargé d'infimes particules de l'eau des fontaines, l'air déposait sur les joues de la jeune fille une bruine bienfaisante.

Ils s'installèrent à la terrasse d'un café, et Nick alluma un cigare après avoir commandé des rafraîchissements.

— Aimez-vous ces sculptures ? demanda-t-il à Olivia qui regardait d'un œil admiratif les corps nus des hommes et des femmes à jamais immortalisés dans la pierre.

— Elles sont très belles, estima-t-elle tout en dégustant une gorgée de jus de fruit.

Nick lui sourit.

— Elles n'ont pas toujours été appréciées par les Siciliens : les anciens étaient plutôt puritains. Cette place s'appelle *La Piazza della Vergogna*, « La Place de la Honte » !

Olivia lui rendit son sourire tout en admirant à nouveau les splendides sculptures. Il l'observa en silence, et il oublia comme par magie le bruit des passants bavards et agités.

— Parlez-moi de vous, demanda-t-il soudain.

La jeune fille fronça légèrement les sourcils et rencontra ses yeux empreints d'une expression indéchiffrable.

— Il n'y a pas grand-chose à dire… J'ai vingt-trois ans, je suis mannequin et j'ai une sœur. Mes parents moururent quand j'avais dix-sept ans, et j'ai dû quitter l'école pour travailler.

Elle haussa les épaules, comme pour chercher une autre information susceptible de l'intéresser, avant de poursuivre :

— Depuis, je n'ai pas cessé de travailler. Mais vous devez déjà le savoir, non ?

— Je me suis renseigné accorda-t-il doucement. Je voulais juste l'entendre de votre bouche.

— Pourquoi n'avez-vous pas vérifié vos sources ? répliqua-t-elle sèchement. Vous possédez certainement un dossier bien fourni sur moi !

— Très drôle... Mais certains détails ne peuvent être consignés dans un dossier, vous devez vous en douter, précisa-t-il en détournant les yeux.

— Vous voulez parler de mes aventures avec les hommes ?

Il ne semblait pas d'humeur à plaisanter : au contraire, il la considérait avec sérieux, presque avec gravité... Il opina légèrement de la tête sans cesser de la regarder. Ses yeux gris, profonds, la rendaient un peu nerveuse.

— Je n'ai pas eu beaucoup de flirts, lui apprit-elle, comme si, tout à coup, elle trouvait naturel de se confier à Nick. Et je n'ai jamais eu de relations suivies avec un homme... contrairement à ce que vous pensez, ajouta-t-elle avec un sourire.

— Il n'y a donc personne dans votre vie ? fit-il en l'observant intensément.

— Personne. J'ai failli me fiancer, une fois, mais j'ai rompu quand je me suis rendu compte que je ne l'aimais pas vraiment.

Un silence accueillit ses révélations. La foule bruyante et gaie continuait à déambuler. De la Pretoria leur parvenaient, assourdie, la rumeur ininterrompue et pétulante des rues du sud, entrecoupée de la pétarade d'une mobylette, ou du ronflement d'une voiture plus bruyante que les autres.

— L'amour est très important pour vous ? lui demanda-t-il doucement.

Elle se tourna vers lui.

— Pas pour vous ?

Il haussa ses larges épaules.

— Bien sûr que si, murmura-t-il. Mais l'amour rend parfois la vie bien difficile... n'est-ce pas ?

Incapable de soutenir le regard indéchiffrable dont il la couvait, Olivia baissa la tête sans répondre.

Il l'emmena dans les magasins durant le reste de la matinée. Ils parcoururent les vieux quartiers, les boutiques pour touristes où Olivia acheta de nombreux cadeaux pour ses amis. Un peu agacé, Nick dut l'aider à transporter ses paquets enrubannés et enveloppés de papiers colorés.

Ils se dirigèrent ensuite vers l'endroit où ils avaient garé la voiture, près de La Cala. Ils longèrent un long mur de pierre qui abritait un parc où une profusion de fleurs s'épanouissait au soleil. La jeune fille s'arrêta à la grille pour mieux les admirer.

— C'est magnifique ! s'exclama-t-elle, subjuguée par un énorme bouquet de fleurs tropicales d'une taille impressionnante.

— C'est le jardin Garibaldi, lui apprit Nick. Il a fait dire à certains poètes que Palerme évoquait l'odeur d'une chambre de jeune fille.

— Une chambre de jeune fille ? Et êtes-vous d'accord avec cette réflexion profonde ?

— Comment le saurais-je ? fit-il en souriant malicieusement.

Ils atteignirent la voiture stationnée dans une petite rue où jouaient des enfants. Des effluves de cuisine épicée s'échappaient des fenêtres ouvertes des maisons.

— Où diable allez-vous mettre tout cela, quand vous rentrerez chez vous ? s'enquit Nick, en entassant les cadeaux dans le coffre. Il va vous falloir une nouvelle valise !

Olivia sourit, et des fossettes creusèrent ses joues.

— Je vous en volerai une ! répliqua-t-elle, espiègle.

Il rit en s'approchant d'elle.

— Vraiment ? murmura-t-il en lui prenant doucement le menton. Il vous faudra prendre garde que je ne vous surprenne pas...

— Et que ferez-vous ? le défia-t-elle, le cœur battant.

— Ceci...

Et il pencha la tête pour effleurer ses lèvres.

— Olivia... commença-t-il en s'écartant légèrement.

— Nous ferions mieux de rentrer, l'interrompit-elle, le souffle court.

Il adoptait à son égard une attitude radicalement différente ; Olivia s'en trouvait déconcertée. De plus, il l'observait avec une intensité nouvelle, et elle ne parvenait pas à soutenir son regard.

— Je veux vous parler, insista-t-il en la retenant par l'épaule.

— Non !

Sa voix s'était élevée plus durement qu'elle ne l'aurait voulu.

— Rentrons, répéta-t-elle.

— Olivia, ne me repoussez pas...

— Lâchez-moi ! cria-t-elle en ouvrant la portière de la voiture et en s'y engouffrant. J'en ai assez d'obéir à vos ordres sans broncher.

Elle avait bien l'impression de s'emporter un peu sans raison, mais les attentions soudaines de son compagnon lui ôtaient tous ses moyens.

— Mais de quoi diable parlez-vous ? se fâcha-t-il en s'asseyant à ses côtés ? J'aimerais seulement vous parler !

Olivia le regarda brièvement, puis se tourna vivement vers le siège arrière où elle lança le dernier paquet qu'elle tenait encore, avant de reprendre sa place, face à la route. Très droite sur son siège, elle attacha sa ceinture de sécurité et attendit qu'il démarre... Il n'en fit rien. Elle fronça les sourcils mais ne daigna pas quitter des yeux le point qu'elle s'était fixé, droit devant elle.

Finalement, n'y tenant plus, elle le regarda.

— Vous vous imaginez peut-être qu'il suffirait d'un mot pour tout effacer ? lança-t-elle, toujours en proie à une colère irrationnelle, mais incapable de refréner son élan belliqueux. Non, vous m'avez trop maltraitée pour cela ! Le problème est que vous, depuis votre plus jeune âge, vous obtenez tout ce que vous voulez beaucoup trop facilement !

— Trop facilement ? releva-t-il en plissant les yeux.

Il semblait furieux tout à coup. Brusquement, il mit le moteur en marche et le fit ronfler furieusement avant de démarrer sur les chapeaux de roue dans un crissement de pneus.

— Vous n'êtes qu'une petite idiote ! explosa-t-il. J'ai obtenu tout ce que je possède à la sueur de mon front !

— Ne me faites pas rire ! Votre maison à elle seule vaut une petite fortune : c'est bien grâce à votre père si elle est à vous aujourd'hui, non ?

— Mon père... dit-il entre ses dents, il m'a renié quand j'avais deux ans. Il nous a abandonnés, ma mère et moi, dans un taudis à New York, pour rejoindre sa maîtresse en Sicile.

Olivia le considéra, stupéfaite.

— Je ne vous crois pas...

— Le contraire m'eût étonné... remarqua-t-il avec amertume. J'avais dix ans lorsqu'il revint. Quand il s'aperçut au bout de quelques mois que ma mère était enceinte, il repartit immédiatement pour la Sicile. Mon Dieu, comme je l'ai haï !

Incrédule, la jeune fille secoua la tête.

— Vous voulez dire qu'il laissa votre mère, alors qu'elle attendait Greg ?

Il acquiesça en concentrant soudain son attention sur la route défoncée à cet endroit-là. Il actionna le changement de vitesse, et Olivia regarda avec un frisson sa main puissante sur le levier, ses cheveux sombres qui bouclaient légèrement sur la nuque...

— Deux ans plus tard, elle nous ramena ici, mon frère et moi, pour que mon père voie son enfant... Il refusa de nous recevoir. Je me souviens de ce jour où je regardais le *Palazzo Baretta :* je détestais mon père avec une haine farouche, à ce moment-là.

Les pensées se bousculaient dans l'esprit de la jeune fille. Elle avait cru, jusqu'ici, que la puissance de Nick lui avait été léguée par une famille riche et déterminée à assurer la postérité de sa fortune en la transmettant tout naturellement à ses enfants. Et tout à coup, elle découvrait qu'au contraire il avait dû se battre seul pour parvenir au faîte de la réussite. Seules ses propres qualités l'avaient mené là où il était aujourd'hui...

— Le *Palazzo* me revenait de droit, mais il décida de me déshériter. Aussi j'entrepris de récupérer mon bien.

— Comment ?

Ses yeux exprimaient une force, une volonté indestructible, quand il les posa sur elle, brièvement.

— Je me suis lancé corps et âme dans la course au pouvoir avec la ferme intention d'arriver vainqueur. Mon père était un dépensier : l'argent lui brûlait les doigts. J'ai attendu qu'il soit ruiné, puis je lui ai racheté la maison. Mon offre dépassait toutes ses espérances, et, comme il était aux abois, il ne pouvait la décliner... alors je l'ai mis à la porte de chez lui avec un plaisir indéniable... Il n'était pas un père pour moi, il ne l'avait jamais été.

Captivée par cette histoire, Olivia l'avait écouté avec sa plus grande attention. Comme elle avait mal jugé cet homme...

— Je suis désolée, murmura-t-elle, en osant mettre une main sur son bras.

Il ne répondit pas. Il semblait ne pas l'avoir entendue... Elle retira sa main alors qu'ils parvenaient en vue de Solunto.

Lorsqu'ils arrivèrent à la maison, il l'abandonna sans lui adresser un mot de plus.

Olivia soupira et décida d'aller se promener au village. Ce n'était pas très loin à pied, et un peu d'exercice lui ferait le plus grand bien. A présent, elle connaissait le chemin.

Elle avait offensé Nick... Un peu de solitude lui permettrait de repenser tranquillement à toutes les révélations inattendues qu'il venait de lui faire.

Comme elle descendait la colline, elle aperçut trois jeunes gens qui venaient vers elle.

— *Ecco!* lança l'un d'entre eux en arrivant à sa hauteur. *Bella, no?* ajouta-t-il à l'adresse des autres en couvant la jeune fille d'un regard insolemment admiratif.

Olivia sourit poliment.

— *Scusi,* murmura-t-elle, en essayant de les contourner, car ils s'étaient tous trois postés devant elle, lui barrant la route.

Au lieu de s'effacer, ils se mirent à la détailler de la tête aux pieds, sans la moindre pudeur, lui bloquant le passage. Cette fois, la jeune fille se sentit mal à l'aise. Leur attitude n'augurait rien de bon, et la lueur de convoitise qui brillait dans leurs yeux l'effraya. Soudain, ils se rapprochèrent...

— Laissez-moi passer! s'écria-t-elle en anglais. L'appréhension lui faisait oublier qu'elle devait s'exprimer en italien.

Ils se mirent à rire, en échangeant des regards de connivence. L'un d'entre eux voulut caresser les cheveux d'Olivia qui repoussa sa main avec violence. Son cœur battait à tout rompre...

— *Basta !*

La voix claqua, brutale. Les voyous se retournèrent vivement et pâlirent : Nick et Tonino se tenaient derrière eux. Les trois importuns s'éloignèrent immédiatement de la jeune fille avec un air craintif, et l'un d'entre eux adressa un salut respectueux.

— Signore Baretta, fit-il, contrit.

Nick semblait tendu à l'extrême, prêt à déployer une force aussi foudroyante que le tonnerre qui éclate pendant l'orage. Il s'approcha lentement d'Olivia, et lui dit d'une voix glaciale :

— Rentrez à la maison. Tonino, accompagne-la.

Elle hésita un bref instant, avant de suivre Tonino. Elle entendit alors les trois jeunes gens balbutier des excuses, et se lancer fiévreusement dans des explications pour expliquer leur comportement ; du moins le supposa-t-elle, car ils parlaient un italien beaucoup trop rapide pour elle.

— Qui sont-ils ? demanda-t-elle à son compagnon, tout en gravissant la colline.

— Des jeunes du village, répondit-il.

— Mais qu'essayaient-ils d'expliquer à Nick, et pourquoi étaient-ils si effrayés ?

Tonino haussa les épaules.

— Ils lui ont dit qu'ils ne savaient pas qui vous étiez.

— Qui j'étais ?

— Oui, que vous étiez sa fiancée.

Muette de stupéfaction, Olivia s'arrêta net, soulevant un léger nuage de poussière sur le chemin. La fiancée de Nick Baretta ?... Les mots résonnaient étrangement en elle, s'accordant au rythme de son cœur qui battait plus vite tout à coup.

— Mais... Tonino, je ne suis pas sa fiancée !

— Ça, c'est votre problème à Nick et à vous, pas le mien, rétorqua-t-il tranquillement.

Lorsque, un peu plus tard, Olivia rejoignit Lala dans la cuisine, la plus grande confusion régnait dans son esprit. Elle entendit à peine la jeune fille lui parler, tant elle était tendue, préoccupée par ce qui venait de se passer. Elle se souvenait du sinistre silence qui s'était abattu quand Nick était intervenu au moment où elle tentait de repousser les jeunes gens, mais aussi, et avec une certaine inquiétude, de l'étrange exaltation que cette apparition soudaine avait provoquée en elle... Et puis, la façon dont Tonino avait prononcé : « la fiancée de Nick Baretta »...

Elle ferma les yeux, l'espace d'un instant, tentant de recouvrer son calme... Pourquoi cette anecdote banale l'affectait-elle à ce point ? Etait-ce parce que, inconsciemment, elle rêvait d'être la fiancée de Nick ? Un sentiment de panique s'élevait en elle, à cette simple éventualité... Pourtant, n'avait-elle pas aimé voir dans ses yeux cette lueur dangereusement possessive lorsqu'il l'avait surprise en compagnie d'autres hommes ?

Elle secoua la tête, comme pour clarifier son esprit, en chasser les pensées folles qui l'entraînaient sur une pente périlleuse. Lala lui parlait toujours, et elle devait absolument se concentrer sur ce qu'elle lui disait.

— Ils se sont montrés entreprenants ? lui demandait-elle, incrédule.

Tonino acquiesça à sa place :

— Au moment où nous sommes arrivés avec Nick, ils essayaient de lui caresser les cheveux.

A cet instant, la porte d'entrée claqua violemment et Olivia sursauta. Peu après, Nick faisait irruption dans la cuisine. Aussitôt, Lala et Tonino s'esquivèrent, le laissant seul avec la jeune fille. Elle leva les yeux vers lui et découvrit avec stupéfaction une petite entaille sur sa joue.

— Que s'est-il passé ? s'enquit-elle en désignant sa blessure.

— L'un d'entre eux était plus courageux, grommela-t-il. Mais ne vous inquiétez pas, ils ne s'aviseront plus de vous importuner à l'avenir.

Contre toute attente, Olivia en conçut une curieuse sensation de fierté. Savoir que cet homme s'était battu contre trois autres pour la défendre la bouleversait...

Nick s'approcha d'elle, et elle s'efforça d'enfouir au plus profond d'elle-même les sentiments confus qui l'agitaient, afin de se composer un visage indifférent.

— Pourquoi diable êtes-vous partie seule ? l'interrogea-t-il.

— Je ne pouvais pas prévoir que je ferais de mauvaises rencontres. Je voulais seulement me promener au village.

Elle aurait aimé le remercier de l'avoir tirée de ce mauvais pas, mais, inexplicablement, les mots moururent dans sa gorge.

— Vous promener ? répéta-t-il d'une voix tendue.

Il la regarda avec une expression indéchiffrable.

— Iriez-vous vous promener dans des rues désertes de Londres ou de New York ? reprit-il.

— Ce n'est pas la même chose... Je me croyais en sécurité à la campagne.

Il lui saisit doucement le menton, lui renversant légèrement la tête en arrière.

— Vous oubliez que vous vous trouvez dans un pays étranger. Vous ignorez tout des gens d'ici, et de plus, vous ignorez tout des hommes.

Elle essaya de se dégager, car il avait affermi la pression de ses doigts, mais il la resserra davantage. Alors elle le repoussa vivement et se leva d'un bond, mais il la contraignit à se rasseoir en lui empoignant fermement le bras.

— Lâchez-moi !

Il la maintint avec force tandis qu'elle essayait encore de se lever.

— J'ai remarqué une chose, en tout cas ! s'écria-t-elle, furieuse. Les Siciliens sont plus violents que les autres !

Il eut un petit sourire.

— Vous avez raison, admit-il. Particulièrement lorsque leurs femmes sont concernées.

Elle l'observa sans répondre, suivant la ligne ferme de sa mâchoire décidée, de ses épaules sculpturales, de ses bras puissants. Il exerça une légère pression sur son poignet, et elle frémit.

— N'avez-vous jamais entendu parler des Vêpres Siciliennes ? De l'incident qui déclencha la guerre ?

— Non...

— Au XIIIe siècle, commença-t-il en la lâchant, un officier français insulta une jeune femme qui se rendait à l'église. Les gens réagirent très violemment...

— Que firent-ils ?

— Ils massacrèrent entièrement une garnison française.

— Je ne vois pas le rapport avec moi...

— Ici, en Sicile, les Anglaises sont considérées comme appartenant à une autre race. Les Siciliennes se destinent exclusivement au mariage ; vous, on vous traite comme des filles légères.

Olivia se sentit brusquement attaquée personnellement.

— Je vois ! dit-elle en se levant. Vous me rangez dans cette catégorie, n'est-ce pas ? Je comprends pourquoi vous refusez que j'épouse votre frère ! Je ne suis pas digne de lui, c'est cela ?

— Vous savez parfaitement que ce n'est pas ce que je voulais dire ! rétorqua-t-il sèchement.

— Vraiment ? Que vouliez-vous dire alors ? Me prenez-vous pour une idiote ?

Le visage de Nick se contracta. Il sembla sur le point d'ajouter quelque chose, mais il se ravisa.

— Vous ne pouvez aller vous promener sans être accompagnée, déclara-t-il finalement. Ne sortez pas seule la prochaine fois.

— Il n'y aura pas de prochaine fois, parce que je quitterai cette île de malheur à la première occasion !

Un silence s'établit, puis il la saisit aux épaules, et la scruta avec perplexité.

— Vous ne parlez pas sérieusement ?

— Oh si ! On ne peut plus sérieusement ! J'en ai plus qu'assez de vous et de votre famille !

Nick serra les dents.

— Si vous partez, murmura-t-il, je vous suivrai. Je serai derrière vous, où que vous alliez.

Olivia frémit, sans se laisser impressionner pour autant.

— Je me moque éperdument que vous me suiviez ou non, le défia-t-elle.

— En tout cas, je ne vous perdrai jamais de vue, croyez-moi, assura-t-il en la regardant avec une intensité impressionnante.

Leurs yeux se rencontrèrent et restèrent rivés, aimantés... Elle s'en effraya et rompit le maléfice.

— Laissez-moi ! s'écria-t-elle, la gorge sèche.

Il saisit ses cheveux et enfouit sa main dans leur masse soyeuse. Puis il s'attarda à contempler ses lèvres. La jeune fille retenait sa respiration... Alors une lueur moqueuse éclaira les traits de Nick Baretta.

— Olivia... murmura-t-il de sa voix profonde, un peu rauque.

Soudain, la porte s'ouvrit... D'un même mouvement, ils tournèrent la tête pour voir qui entrait.

C'était Greg. La stupéfaction la plus vive se peignait sur son visage. Il les regarda l'un après l'autre, comme s'il ne parvenait à en croire ses yeux.

— Que diable se passe-t-il ici ? dit-il d'une voix altérée.

9

Visiblement, le jeune homme n'en revenait pas. Il ne soupçonnait pas jusque-là les sentiments étranges et inexplicables qui s'étaient noués entre Nick et Olivia dès leur première rencontre.

Olivia se sentit incapable d'affronter la situation. Elle quitta brusquement la cuisine pour s'enfuir en courant dans sa chambre. Là, elle s'enferma à double tour et appuya son front contre le battant de bois.

Elle aurait dû dire depuis longtemps à Greg qu'elle ne l'épouserait pas. Maintenant, c'était plus difficile. Elle soupira et alla s'asseoir sur son lit.

Elle se souvenait avec ressentiment des paroles de Nick sur les Anglaises et les Siciliennes, et le soupçonnait d'adhérer aux conceptions de son peuple. Mais pourquoi cela lui importait-il après tout ? Pourquoi ce que pensait cet homme l'affectait-il ?...

Au fond d'elle-même, elle le savait très bien : elle était tombée amoureuse de lui... Cette évidence qu'elle admettait enfin lui arracha des larmes, et elle se mordit les lèvres pour en refréner le flot.

Inexplicablement, il avait fait vibrer en elle une corde sensible, et, à mesure que le temps passait, les sentiments qu'elle lui portait s'étaient ancrés un peu plus profondément en elle. Au début, elle les avait attribués à une simple attirance physique, car Nick

Baretta était infiniment séduisant. Mais elle avait mésestimé la puissance de cette attraction.

Et puis la vérité avait enfin éclaté... Si leurs baisers la bouleversaient à ce point, c'est qu'ils exprimaient des émotions du cœur, et non seulement du corps...

Olivia serra les poings : quelle sotte elle avait été ! Jamais elle n'aurait dû laisser Nick l'approcher !

Et si... Et si lui aussi éprouvait les mêmes sentiments ? L'espace d'un instant, elle entrevit une faible lucur d'espoir, qui très vite s'éteignit : elle ne lui inspirait rien d'autre que du désir, et ne devait surtout pas l'oublier. Il avait été assez clair sur ce point dès le début.

Elle se redressa subitement : on venait de frapper à la porte. D'une main tremblante, elle essuya ses larmes.

— Qui est là ? demanda-t-elle pour se donner le temps de se recomposer un visage serein.

— Greg, répondit-on après un moment.

Elle s'attendait plutôt à une visite de Nick et fut soulagée.

— Entre, soupira-t-elle, en ouvrant la porte, résignée à l'affronter dès maintenant.

De toute façon, cela devait arriver depuis le début...

Le jeune homme entra et remarqua immédiatement ses yeux rougis.

— Olivia, je suis désolé, je t'assure qu'il n'aura plus l'occasion de te blesser, à l'avenir.

Nick ne lui avait donc rien dit ?

— Assieds-toi, Greg.

Il s'installa près d'elle, sur le lit, et attendit. Il semblait avoir deviné qu'elle allait lui révéler des choses importantes.

— Je ne me marierai pas avec toi, Greg, déclara-t-elle de but en blanc.

Il demeura sans voix, tout d'abord, puis il lui demanda :

— Pourquoi ? Est-ce à cause de Nick ? Est-ce lui qui ne veut pas que tu m'épouses ? Je le connais, Olivia, je sais que...

— Non, l'interrompit-elle. Cela n'a rien à voir avec lui. Je n'ai jamais eu l'intention de t'épouser. Je suis seulement revenue à cause de ce que tu avais fait, parce que j'avais peur que tu recommences.

— Je vois...

Peut-être se montrait-elle trop directe, tout à coup ? Elle posa une main sur les siennes.

— J'aurais préféré te le dire plus tôt, mais je n'en ai pas eu le courage, je crois. Chaque fois que j'essayais, les mots s'étranglaient dans ma gorge...

— Et tu m'as laissé dans mes illusions...

Olivia rougit, honteuse de sa conduite.

— Je suis navrée, Greg, navrée...

Il poussa un profond soupir, retira sa main et prit lui-même celles de la jeune fille.

— Non, dit-il, c'est moi qui le suis. Je n'avais aucun droit de te faire cet odieux chantage aux sentiments. Je... je me suis conduit comme un petit garçon. Je te demande pardon, Olivia. Je ne comprends pas ce qui m'a pris.

Immensément soulagée par la réaction inattendue du jeune homme, Olivia ne sut que répondre.

— Que vas-tu faire, maintenant ? Veux-tu partir, ou quelque chose te retient-il encore ici ? s'enquit-il au bout d'un moment.

— Je ne sais pas, fit-elle, mal à l'aise.

— Peut-être devrais-tu parler avec Nick ? glissa-t-il.

Olivia le regarda attentivement...

— Simonetta t'a raconté nous avoir surpris, n'est-ce pas ?

— Oui, avoua-t-il.

Pourquoi ne l'avait-elle pas deviné ? Simonetta n'était-elle pas amoureuse de Greg, après tout ? Soudain, Olivia se prit à souhaiter n'avoir jamais rencontré Nick Baretta. Et pourtant, sa vie ne serait-elle pas totalement vide, sans lui ? En même temps, savoir qu'il ne l'aimait pas la mettait à la torture.

— Olivia ? s'inquiéta Greg en l'observant anxieusement. Je te parlais...

— Excuse-moi, j'étais ailleurs.

Le jeune homme fronça les sourcils et l'observa attentivement pendant un moment.

— Tu l'aimes, n'est-ce pas ? devina-t-il.

La jeune fille sentit les larmes lui picoter les paupières.

— Oui, fit-elle dans un souffle en baissant la tête.

Alors il passa un bras autour de ses épaules et l'attira contre lui.

— Tu n'es qu'une petite idiote, murmura-t-il doucement en lui tirant gentiment les cheveux.

Un bruit de pas sur le seuil leur fit lever la tête : une main sur le chambranle de la porte, Nick les regardait avec dureté.

— Quelle scène touchante ! persifla-t-il.

Il tourna immédiatement les talons, mais Olivia eut le temps d'apercevoir l'éclair féroce dans ses yeux, lorsqu'il les posa brièvement sur elle. Oh, pourquoi avait-il surpris cette scène ? Au bord des larmes, elle entendit le ronflement furieux du moteur de sa voiture, peu après, suivit du crissement aigu des pneus. Il venait de démarrer sur les chapeaux de roue.

Le lendemain matin, la jeune fille fut réveillée par les premiers rayons du soleil qui, tels de longs doigts fins, vinrent caresser paresseusement ses paupières closes. Elle ne tarda pas à descendre. Elle traversait le vestibule quand la porte de la cuisine s'ouvrit devant Nick. Elle lui jeta un regard incertain, avant de lui dire bonjour.

— Vous êtes bien matinale, remarqua-t-il froidement. Vous allez vous promener ?

Le ton sec de sa voix la fit pâlir.

— Je ne sais pas encore, répondit-elle, je sortirai plus tard, sans doute.

— Avec Greg, je suppose ?

La jeune fille se mordit les lèvres : c'était trop injuste, à la fin !

— Je pourrais effectivement le lui proposer, mais je ne suis pas sûre qu'il accepte.

— Vous saurez certainement le convaincre. Vous vous pliez tellement facilement à ses désirs... Il vous réclame au jardin ? Vous y allez. Il vous appelle dans sa chambre ? Vous volez vers lui. Vous êtes vraiment l'épouse qu'il lui faut.

— Vous rendez-vous compte, Nick, que vous tenez les propos d'un homme jaloux ? rétorqua-t-elle ironiquement.

Le coup porta, car il serra les dents.

— Je vous préviens, Olivia...

— Patron ! l'interrompit à point nommé Tonino qui pénétrait dans le vestibule.

Il s'arrêta sur le seuil, quand il les aperçut ; un halo de soleil l'auréolait d'une lumière dorée.

— Qu'y a-t-il ? s'enquit Nick.

Tonino hésita, en regardant brièvement Olivia.

— Le Signore Scaletta vient de pénétrer dans le jardin.

Nick se raidit sensiblement.

— Scaletta ? Que diable veut-il ?

A ce moment-là des pas retentirent sur les marches du perron, et un homme rejoignit Tonino.

— Signore Baretta ! s'exclama le nouveau venu d'une voix doucereuse.

Olivia frissonna. L'inconnu avait des yeux froids, sans vie. Il se dégageait de lui une impression malsaine. Très brun, il portait un costume gris à la coupe impeccable.

— Que voulez-vous Scaletta ? s'enquit Nick d'une voix dépourvue d'aménité.

Un mauvais sourire se dessina sur les lèvres de l'intrus.

— Ne sommes-nous pas de vieux amis, mon cher ? susurra-t-il. Pourquoi ne vous ferais-je pas une petite visite de temps à autre ?

— Vous n'êtes pas le bienvenu, ici, Scaletta.

Ce dernier se tourna vers Olivia et haussa les sourcils d'un air admiratif.

— Magnifique, dit-il, en faisant un pas vers elle.

— Sortez ! ordonna Nick.

Mais Scaletta souriait toujours aussi nonchalamment, et il se permit de détailler insolemment la jeune fille de la tête aux pieds.

— Pardonnez-lui, minauda-t-il tandis qu'elle le considérait avec dégoût. Comme tous les Siciliens, il a le sang un peu trop « chaud »... Mais vous devez déjà le savoir, ajouta-t-il insidieusement.

Elle recula machinalement, et Scaletta avança vers elle. Elle n'avait pas besoin de connaître cet homme pour le détester. Nick s'interposa immédiatement entre eux.

— Sortez d'ici, répéta-t-il sur un ton menaçant.

Ils s'affrontèrent du regard, longtemps, puis Scaletta détourna les yeux le premier. Qui pouvait défier Nick lorsqu'il arborait une expression aussi implacable ?

Son adversaire sembla lui concéder l'avantage : il haussa les épaules de façon significative.

— Ma visite était motivée par un but tout à fait professionnel, mon ami. J'ai une proposition à vous faire, une proposition intéressante, très intéressante...

— J'en doute, maugréa Nick.

— Ne soyez pas si prompt à refuser.

— Pourriez-vous nous laisser ? demanda Nick à Olivia.

N'ignorant pas que les Siciliens ne discutaient jamais affaires devant une femme, et devinant que toute protestation serait inutile, Olivia se retira.

Dix minutes plus tard, la voiture de Nick démarrait, suivie par une autre, celle de Scaletta sans aucun doute. Jamais Olivia n'avait rencontré personnage aussi antipathique : il lui donnait froid dans le dos...

Un peu plus tard, elle demanda à Lala qui était cet homme.

— Adressez-vous à Nick, répondit-elle. Ce n'est pas à moi de vous le dire.

La jeune fille le chassa donc de ses pensées. Ce n'était pas difficile, car Nick les occupait toutes. Il hanta même son sommeil lorsqu'elle tenta de faire la sieste, dans l'après-midi. Sa seule évocation suffisait à la troubler.

Il rentra plus tard que de coutume, ce soir-là. Olivia se trouvait à la cuisine avec Lala quand il y pénétra.

— Lala, je ne dîne pas ici ce soir, annonça-t-il.

— Très bien, répondit-elle.

Il portait un costume sombre et une chemise blanche. En proie à des émotions tumultueuses, Olivia l'admira secrètement : elle le trouvait beau, terriblement beau. Il se tourna vers elle et sa question la prit au dépourvu.

— Avez-vous fixé la date de la soirée ?

Elle se sentait brusquement paralysée, incapable

de répondre. Tonino venait de les rejoindre, elle ne pouvait s'expliquer en public. Comme le silence s'éternisait, elle lança à Nick un regard implorant. Elle n'avait qu'une envie ; se jeter dans ses bras...

— Il n'y aura pas de fête de fiançailles, déclara-t-elle enfin.

Nick plissa les yeux.

— Comment ?

— Nous avons renoncé à organiser cette soirée...

— Quand ? demanda-t-il aussitôt, comme s'il attendait brusquement la réponse avec une impatience irrépressible.

Olivia avala avec difficulté.

— Hier soir, expliqua-t-elle. Nous avons eu une longue discussion pour en venir en définitive à...

— Oui, la coupa-t-il. J'ai tout de suite compris que vous étiez en pleine... « discussion » !

Il se tourna vers Tonino et Lala qui s'étaient discrètement retranchés dans le silence.

— Bonne nuit ! ajouta-t-il en sortant.

Et Olivia, désespérée, se retrouva seule avec le jeune couple.

Ce soir-là, le dîner fut un supplice. Olivia parvenait tout juste à répondre à la Signora Baretta lorsqu'elle s'adressait à elle, comme la politesse l'exigeait, mais elle craignait à tout moment de laisser exploser son chagrin.

Heureusement, Greg était d'humeur loquace. Il leur conta avec force détails sa visite aux ruines romaines perchées sur la colline de Monte Catalfano, avec Simonetta. Enthousiasmé par la beauté des lieux, il ne savait plus quels qualificatifs choisir pour la décrire.

Quand vint enfin le moment de monter se coucher, Olivia en conçut un profond soulagement. Pourtant, elle s'aperçut très vite que, loin d'atténuer sa peine, la solitude lui donnait une ampleur insupportable.

Elle se souvint en frissonnant de sa conversation avec Greg, après le dîner. Elle était parvenue à l'attirer un peu à l'écart pour lui demander qui était Scaletta. Après quelques réticences, le jeune homme s'était finalement décidé à satisfaire sa curiosité :

— Sa mère fut une des maîtresses de mon père, lui apprit-il. Lui et Nick sont des ennemis mortels. Scaletta essaya d'acheter le *Palazzo* au moment où Nick l'acquérait. Mais, comme dit mon frère, il a joué de malchance !

Etendue sur son lit, Olivia s'interrogeait à présent ; qui pouvait se vanter d'avoir de la chance face à un homme tel que Nick Baretta ? Il était cynique. Il s'était forgé un caractère d'une dureté intransigeante durant toutes les années où il avait souffert. Il avait appris à déjouer le sort qui s'acharnait contre lui, et il avait gagné...

Comme tous ceux qui réussissaient, il comptait certainement une cour d'admiratrices assidues autour de lui, avides d'occuper la première place dans son cœur. Son physique aidant, il devait avoir l'embarras du choix. D'ailleurs, où passait-il toutes ses soirées, si ce n'était en compagnie d'une femme ?... Cette seule pensée mettait la jeune fille à l'agonie.

Obsédée par des images qui la torturaient, Olivia ne pouvait plus dormir, à présent.

A deux heures du matin, elle se leva, enfila un déshabillé et se glissa silencieusement hors de sa chambre. Celle de Nick était plongée dans l'obscurité. Pourquoi aurait-il été réveillé lui aussi ? Elle ne hantait certainement pas ses pensées...

Elle descendit avec mille précautions les marches de l'escalier, mais elles craquèrent malgré tout. S'acharnaient-elles contre elle, elles aussi ?

Une lumière filtrait sous la porte du salon... La Signora Baretta souffrait-elle d'insomnie ? se demanda-t-elle en posant la main sur la poignée. Elle ouvrit doucement et s'arrêta net, pétrifiée : Nick était là, affalé dans un fauteuil, ses longues jambes étendues devant lui, le col de sa chemise ouvert et sa veste par terre.

Il tourna vers elle un visage hagard.

— Nick... murmura-t-elle dans un souffle.

— Que diable voulez-vous ?

Une bouteille de whisky était posée près de lui, et il tenait un verre à la main.

— Je ne parvenais pas à dormir, expliqua-t-elle.

Il avala une gorgée d'alcool et la regarda d'un œil mauvais.

— Je... je crois que je ferais mieux de vous laisser, balbutia-t-elle, en se retournant pour s'éloigner.

Mais un bruit de verre cassé lui fit brusquement faire volte-face. Nick s'était levé, et dans sa hâte, il avait renversé son verre, ainsi que la bouteille.

— Regardez où j'en suis, à cause de vous, maugréa-t-il en secouant la tête. Obligé de boire pour trouver le sommeil !

— Un verre de lait serait plus conseillé, répliqua-t-elle un peu plus vivement qu'elle ne l'aurait voulu.

Il lui sourit lentement, et elle se sentit fondre.

— Un peu trop doux pour mon humeur présente, fit-il d'une voix traînante. J'ai plutôt besoin de m'assommer, voyez-vous ?... Mais vous vous y entendez dans ce domaine, je crois...

— Les pilules dans le verre de Tonino...

— Et pour moi ? Que prescrivez-vous ?

Il s'approcha d'elle, et Olivia sentit ses jambes se dérober sous elle.

— Nick... commença-t-elle en reculant.

Mais son dos toucha bientôt le mur, et il s'arrêta

tout près d'elle, si près qu'elle sentit son souffle sur ses cheveux. Il caressa son visage et lui inclina la tête en arrière.

— Il me faut quelque chose pour me calmer, quelque chose pour oublier.

Saisie d'un brusque sursaut d'espoir, elle demanda, le souffle court :

— Oublier quoi ?

Il sourit faiblement :

— Oublier... combien j'aimerais vous tordre le cou, dit-il en encerclant sa gorge de ses mains.

Partagée entre le désir de s'enfuir et celui de nouer ses bras autour de sa nuque pour lui offrir ses lèvres, Olivia resta sans voix.

— Vous ne vous attendiez pas à cette réponse-là, n'est-ce pas ? Qu'espériez-vous, Olivia ?

Tandis qu'elle demeurait silencieuse, il s'attarda à observer sa poitrine qui se soulevait à un rythme beaucoup plus rapide que de coutume, la naissance de ses seins que le déshabillé légèrement entrouvert laissait entrevoir, sa peau claire, délicatement satinée.

Ses mains descendirent lentement jusqu'à sa taille ; puis il glissa un doigt sous sa ceinture et la dénoua. Ensuite, il écarta les pans du négligé et admira son corps qui se dessinait en transparence à travers la chemise de nuit.

— Vous êtes très belle...

Il déboutonna le premier bouton du décolleté et s'aventura sous l'étoffe légère. Olivia retint sa respiration. Il plongea alors son regard dans le sien, et ils restèrent ainsi, les yeux dans les yeux, durant un moment volé à l'éternité.

— Mon Dieu... murmura-t-il.

Il semblait bouleversé.

— Nick ?... s'enquit-elle anxieusement.

Elle se serra un peu contre lui, et sentit son cœur battre à une vitesse étourdissante.

— Olivia... Ne comprenez-vous pas ?

Il referma ses bras autour d'elle et s'empara de ses lèvres avec une ardeur trop longtemps contenue. Elle crut fondre sous la violence de son étreinte, mais répondit à son baiser dans un élan passionné.

Il la serra davantage contre lui, à lui couper le souffle ; sa bouche la brûlait, la consumait. Une même flamme parcourut leurs corps enlacés et ils frémirent ensemble, l'un contre l'autre.

Mais Nick releva la tête, comme s'il ne pouvait plus contenir le feu qui le dévorait.

— Vous me faites perdre la tête, murmura-t-il d'une voix altérée.

Il déboutonna les trois boutons de sa chemise de nuit et la fit glisser sur ses épaules. Ses lèvres vinrent déposer des baisers très doux sur sa peau dénudée, dans son cou, sur sa gorge, sur ses seins, la mordant parfois légèrement, parfois plus fermement. Etourdie, la jeune fille dut se retenir à lui pour ne pas tomber tant ses caresses la grisaient. Il laissait à présent ses mains courir sur son corps, épousant chacune de ses courbes, s'attardant au creux de ses reins...

Olivia sentit ses jambes se dérober sous elle, elle gémit de plaisir.

— Eprouviez-vous la même chose dans les bras de mon frère ? Vous faisait-il trembler ? s'enquit-il soudain en la pressant plus étroitement encore contre lui.

Incapable de rassembler ses esprits, Olivia secoua la tête.

— Non, avoua-t-elle dans un souffle, éperdue.

Elle sentait ses jambes dures et musclées contre elle...

— Votre cœur s'emballait-il dès que vous le regardiez ? Se serrait-il dès que vous étiez loin de lui ?

— Non...

— Alors pourquoi diable vous apprêtiez-vous à l'épouser ? lança-t-il sur un ton coupant, tout à coup.

Il la lâcha brutalement et ouvrit la porte, prêt à sortir.

— Nick ! gémit-elle en essayant de le retenir.

Mais le temps de rajuster ses vêtements, il était déjà parti... Lorsqu'elle arriva dans le vestibule, la porte d'entrée était ouverte. Elle s'y précipita.

— Nick ? appela-t-elle dans la nuit, du haut des marches du perron.

Elle vit alors des phares s'allumer. Un moteur vrombit tout à coup, et une voiture démarra en trombe.

Le déshabillé d'Olivia frémit sous la caresse de la brise. Les yeux pleins de larmes, le cœur chaviré, elle resta là à scruter vainement la nuit, pendant un long moment. Elle savait très bien qu'il ne ferait pas demi-tour. Pourquoi reviendrait-il ?

Elle parvint à s'endormir au petit matin, mais elle s'éveilla plusieurs fois en sursaut, hantée par la vision de Nick. Elle se leva un peu tard, et se hâta de descendre dans l'espoir de voir Nick.

Tonino sifflotait lorsqu'elle pénétra dans la cuisine.

— Bonjour, l'accueillit-il avec un sourire, tout en disposant avec goût un bouquet de grosses fleurs roses dans un vase.

— Bonjour, répondit-elle aimablement. Savez-vous où est Nick ?

— Oh, Nick... fit-il en la regardant à la dérobée. Il est parti pour Syracuse.

— Syracuse ? Mais... c'est à l'autre bout de l'île,

n'est-ce pas ? Est-il... est-il allé voir cet homme, Scaletta ?

— Scaletta ? Oh non ! s'écria-t-il. Nick ne l'honore pas de ses visites, il n'a rien à faire avec lui.

Olivia, soulagée, le laissa à ses occupations. Sa journée se déroula comme toutes les autres. L'après-midi, elle aussi se retirait pour la sieste. Elle comprenait à présent les Siciliens qui fuyaient le soleil au moment où ses rayons brûlaient le plus. A la fraîcheur, en début de soirée, elle sortit dans le jardin. Elle aimait cette heure où les fleurs exhalaient pleinement leur parfum capiteux, elle adorait sentir sur sa peau la caresse de la brise chargée de senteur subtiles. Le paysage se découpait avec une netteté particulière contre le ciel rougeoyant, et elle ne se lassait pas de contempler les effets changeants de la lumière crépusculaire.

Depuis la veille au soir, elle ne parvenait pas à trouver la paix. Elle pensait et repensait à Nick, aux paroles qu'il avait prononcées, à ses baisers, à ses caresses... Elle se détendit pourtant, dans ce lieu d'une quiétude parfaite.

— Puis-je me joindre à toi ? s'enquit une voix derrière elle, l'arrachant à ses préoccupations.

Greg arriva à sa hauteur et s'assit à côté d'elle, sous le couvert des arbres. Il croisa devant lui ses longues jambes et soupira.

— A cette heure, je me sens toujours un peu paresseux, dit-il.

Pendant un long moment, ils écoutèrent le silence sans oser le troubler davantage que le murmure des feuilles caressées par le vent léger, ou le bourdonnement des insectes qui voletaient.

Le jeune homme cueillit un brin d'herbe et le mâchonna. Olivia suivait distraitement le vol d'un oiseau qui découpait des arabesques changeantes dans l'azur immaculé.

— As-tu dit à Nick que nous ne nous mariions pas ? s'enquit soudain Greg.

— Non, répondit-elle sans quitter l'oiseau des yeux.

Il lui rappelait Nick... Le prédateur tournoyait sans cesse dans le ciel, guettant sa proie sans relâche avant de fondre sur elle.

Elle regarda sa montre : Nick n'était toujours pas rentré...

— Tu es triste, n'est-ce pas ? dit-il d'une voix très douce.

Olivia lui sourit simplement. Elle tourna les yeux vers la maison qui se dressait, imposante et impénétrable.

— Je vais te laisser, maintenant. Simonetta et moi partons chez des amis, au village.

Il se leva, et elle l'imita.

— Bien... fit-il, hésitant, visiblement embarrassé de l'abandonner.

— Va donc, l'encouragea-t-elle, amusée. Elle ne t'attendra pas indéfiniment, tu sais...

Greg fronça les sourcils.

— Tu as raison, elle ne m'attendra pas indéfiniment... Tu es une fille formidable, Olivia.

Saisi d'une impulsion, il prit le visage de la jeune fille entre ses mains et l'embrassa tendrement sur la joue.

— Bonne chance ! ajouta-t-il avant de faire volte-face et de se diriger vers la grille.

Elle le regarda partir. Pourquoi n'était-elle pas tombée amoureuse d'un homme comme Greg ? Tout aurait été tellement plus simple...

Avec un soupir, elle reprit le chemin de la maison. Elle aperçut alors Nick, appuyé contre sa voiture, les bras croisés sur sa poitrine, qui la regardait. Elle ralentit son allure, mais son cœur battait beaucoup plus vite.

— Bonjour ! lança-t-elle avec son plus beau sourire quand elle fut parvenue à sa hauteur.

Elle n'avait pas l'intention de lui révéler la cause de ses tourments. Certes, elle l'informerait qu'elle n'épouserait pas Greg, mais lui confier la nature de ses sentiments la mettrait inévitablement en position d'infériorité par rapport à lui.

— Quelle scène touchante ! fit-il d'une voix traînante.

— Vous ne comprenez pas...

— Je comprends parfaitement, au contraire. Vous m'accueillez avec le sourire parce que mon frère vous a abandonné pour aller retrouver Simonetta, vous laissant désœuvrée. C'est un arrangement bien commode, ma foi : Simonetta aujourd'hui, vous demain...

— Il ne s'agit pas d'un arrangement, répliqua-t-elle avec fermeté. Nick, Greg et moi, c'est fini. Nous n'allons pas nous marier.

Elle étudia son visage tandis qu'il restait silencieux.

— C'est fini, ajouta-t-elle.

Il demeura un long moment sans rien dire, mais il l'observait avec une intensité presque insoutenable.

— Je suppose que vous allez partir, alors ? articula-t-il finalement.

Pourquoi avait-elle follement espéré qu'il la prie de rester ? Trop fière pour le lui proposer, pour supporter une déconvenue, elle répondit simplement, la mort dans l'âme :

— Je le suppose aussi.

Nick détourna les yeux, et son regard se perdit dans les profondeurs touffues du jardin.

— Rien ne vous retient ici, n'est-ce pas ? s'enquit-il.

Mais il s'agissait plutôt d'une affirmation.

Ces mots la transpercèrent comme un coup de poignard. Il se moquait donc à ce point de ce qu'elle pouvait faire ou ne pas faire ? Désespérée de ne pouvoir lui ouvrir son cœur, elle baissa la tête pour lui cacher sa peine.

— Non, souffla-t-elle. Vous avez raison, rien ne me retient ici.

Nick demeurait immobile. Il observait sombrement la jeune fille. Le silence s'alourdissait. Des insectes invisibles dansaient autour d'eux, au rythme de leur bourdonnement monocorde.

— Je suis content que vous l'admettiez, déclara-t-il, enfonçant un peu plus la lame dans le cœur meurtri d'Olivia.

— Quand puis-je partir ?

Elle se demandait comme elle parvenait encore à s'exprimer normalement, sans que sa voix ne la trahisse en se brisant.

Les yeux de Nick s'emplirent d'une colère soudaine.

— Je m'en moque totalement ! s'écria-t-il durement. Vous n'avez qu'à appeler l'aéroport, Tonino vous y conduira.

Olivia frémit, humiliée et furieuse à la fois.

— Merci tout de même ! riposta-t-elle en retenant ses larmes à grand-peine. Vous ne contenez plus votre impatience de me voir disparaître, n'est-ce pas ?

— En effet : plus tôt vous partirez, mieux cela vaudra.

Il l'observa brièvement, les poings serrés, puis, brusquement, il tourna les talons et se dirigea vers la maison, la laissant seule sur le chemin.

Olivia faillit hurler mais, au prix d'un terrible effort sur elle-même, elle parvint à se contenir. Ses lèvres ne formaient plus qu'une ligne mince dans son visage décomposé.

Elle lui était donc parfaitement indifférente... Il en était ainsi depuis le début : il s'était juste servi d'elle.

10

Le lendemain matin, elle appela l'aéroport. Il restait une place en fin de journée ; elle ferait une escale à Rome avant de s'envoler vers Londres. Elle n'arrivait pas encore à croire qu'elle partait vraiment.

La sonnette de la porte d'entrée retentit au moment où elle raccrochait. Elle traversa le vestibule avec l'impression de marcher sur du coton. Plus rien ne lui semblait réel. Dans vingt-quatre heures, elle serait séparée de Nick pour toujours. Elle gravit lentement les marches de l'escalier et se retira dans sa chambre afin de boucler ses valises.

Elle avait presque terminé lorsque l'on frappa à la porte.

— Entrez, dit-elle machinalement.

Son cœur fit un bond dans sa poitrine quand la silhouette de Nick se découpa dans l'embrasure. Il remarqua instantanément les bagages posés sur le lit.

— Quand partez-vous ? demanda-t-il.

— Ce soir.

Figée sur place par les émotions trop violentes qu'il suscitait en elle dès qu'elle se trouvait en sa présence, elle le dévisagea comme pour graver dans sa mémoire chaque détail de ses traits.

Lui aussi la regardait.

— Je ne pensais pas que vous partiriez aussi vite.

Il enfouit ses mains dans ses poches et fit un pas vers elle.

— Olivia, je...

Il s'interrompit brutalement et se retourna vers la porte.

— Attendez ! s'écria-t-elle impulsivement, en se portant vers lui, une lueur d'espoir au fond des yeux. Qu'alliez-vous dire ?

A nouveau, il avait revêtu un masque impénétrable.

— C'est sans importance, dit-il. Faites un bon voyage.

Et elle demeura là, sans forces, devant la porte refermée. Nick n'était pas de ceux qui pardonnaient...

Il était près de onze heures lorsqu'elle descendit. Aucun signe de vie autour d'elle... Apparemment, tout le monde était sorti, même Lala. En soupirant, elle se dirigea vers le jardin.

Il faisait une chaleur insupportable. Le soleil dardait ses rayons brûlants. Des nuées de moucherons papillonnaient à l'ombre des buissons, le long des murs de pierre grise du *Palazzo Baretta.*

Olivia décida d'aller se promener hors des grilles du parc. Elle ne risquait plus rien, car tout le monde, au village, savait qui elle était, à présent.

La route, bordée de talus à l'herbe roussie où pointaient de petites fleurs roses délicieusement parfumées, était poussiéreuse. La jeune fille marchait lentement, respirant à fond, tentant de s'imprégner une dernière fois de cette paix souveraine.

Un bruit de moteur la fit sursauter. Elle se retourna et plissa les yeux sous l'ardeur du soleil. Une longue voiture s'arrêta à sa hauteur.

— Miss Courtney ?

La voix métallique de Scaletta déchira le silence. Un frisson glacé parcourut le dos d'Olivia.

— Bonjour... fit-elle en se raidissant.

— Quelle surprise agréable, susurra-t-il. Puis-je vous accompagner ?

— J'allais rentrer à la maison.

Les doigts de Scaletta encerclèrent son bras comme une pieuvre...

— Par un si beau temps ? fit-il en la tirant vers la voiture. Vous n'avez pas de cœur, je n'ai pas tous les jours l'occasion de passer un moment en compagnie d'une aussi jolie fille...

Olivia s'efforça de sourire et balbutia.

— Je... M. Baretta va se demander où je suis passée.

Scaletta se rembrunit.

— Je suis bien placé pour savoir qu'il n'est pas aisé de l'avoir pour rival, pourtant puis-je me mettre sur les rangs ?

Olivia le regarda avec dégoût.

— Non, fit-elle en tentant de dégager son bras.

Elle y parvint, mais c'était sans compter avec la rapidité de Scaletta. En un éclair, il était à ses côtés.

— Bon, murmura-t-il en ouvrant la portière et en poussant la jeune fille dans la voiture.

Affolée, elle se jeta sur la poignée, mais dans sa confusion, elle ne parvint pas à ouvrir avant qu'il n'ait démarré en trombe, rendant toute fuite impossible.

— De quel droit agissez-vous de la sorte ? s'écria-t-elle, ulcérée.

— Je vous en prie, ne dramatisez pas. Je vous emmène simplement en promenade, où est le mal ?

— Faites immédiatement demi-tour ! ordonna-t-elle.

Sans prendre la peine de répondre, il poursuivit

son chemin avec un petit sourire. Comprenant que toute protestation serait inutile, Olivia se réfugia à l'extrême bout de la banquette et tenta de se rassurer en pensant qu'il se présenterait bien une occasion où elle pourrait lui échapper, tout en se maudissant d'avoir franchi les grilles du *Palazzo Baretta.*

De part et d'autre de la route s'étendaient des champs d'herbe brûlée, des collines plus verdoyantes où paissaient des moutons gardés par des jeunes bergers vêtus de noir. Des fleurs roses perçaient un peu partout, égayant le paysage de leurs taches de couleurs vives.

Lorsque la voiture s'arrêta, Olivia regarda les environs avec inquiétude. Dissimulés par un rideau d'arbres touffus, ils n'étaient guère très visibles de la route...

— Où sommes-nous ? s'enquit-elle.

— Pas loin de Solunto...

Il se mit à la détailler en silence, d'une façon déplaisante et tendit soudain la main pour toucher ses cheveux.

— Magnifiques, murmura-t-il.

— Cela suffit ! cria-t-elle en le repoussant sans ménagement.

Elle jeta un coup d'œil désespéré sur la poignée de la portière, mais sans lui laisser le temps d'esquisser un geste, il lui dit :

— Inutile d'attendre de vous sauver par là : j'ai verrouillé de l'extérieur... Vous êtes ma prisonnière. Vous avez des yeux... fascinants, si bleus... Ils me rappellent le ciel sicilien en été. Vous voyez, je suis un romantique, et je devine que vous l'êtes aussi. Dans le cas contraire, vous ne seriez pas amoureuse de Nick Baretta.

— Je ne le suis pas, répondit-elle impulsivement.

Il se mit à rire doucement. Olivia frémit de dégoût en le regardant.

— Si, vous l'êtes. Et lui, vous aime-t-il ?

La jeune fille réfléchit rapidement : si elle répondait oui, il profiterait peut-être de la situation pour se venger de lui, mais il pouvait aussi choisir de la laisser en paix, par crainte des représailles... Elle prit le risque.

— Oui, souffla-t-elle, souhaitant que ce fût la vérité. Nick m'aime.

Le sourire de Scaletta s'évanouit instantanément.

— Bien, fit-il en lui lançant un regard noir, et en démarrant à nouveau.

— Vous me ramenez, je suppose ? lui demanda-t-elle avec appréhension.

Il se tourna brièvement vers elle.

— Nous allons chez moi, annonça-t-il avec un œil mauvais.

Une voiture lancée à toute allure apparut derrière eux, à ce moment précis. En un éclair, elle les doubla et s'arrêta devant eux, leur bloquant le passage. Le cœur d'Olivia fit un bond dans sa poitrine, lorsqu'elle vit Nick jaillir de sa voiture, le visage déformé par la colère. Il ouvrit violemment la portière de Scaletta.

— Que diable êtes-vous en train de faire ? articula-t-il, les dents serrées.

Scaletta posa sur lui un regard chargé de haine.

— J'ai eu une conversation charmante avec votre amie...

— Sortez de cette voiture !

— Je décevrais cette demoiselle ; elle s'apprêtait justement à ajouter un nom à la longue liste de ses amants !

Une lueur meurtrière incendia les yeux de Nick. Il saisit soudain Scaletta au collet et le tira sans ménagement hors de la voiture. Une bataille s'engagea mais la lutte était inégale : Nick était beaucoup plus fort, et la fureur décuplait sa puissance. Il eut tôt fait d'envoyer son adversaire au tapis.

— Disparaissez, Scaletta, ou je ne réponds plus de moi ! dit-il d'une voix blanche.

Il se retourna vers Olivia qui était sortie de la voiture.

— Comment m'avez-vous trouvée ? demanda-t-elle avec un soupir de soulagement.

— Tonino vous a aperçue. Que faisiez-vous avec lui ? Etes-vous totalement stupide ?

— Je me suis laissée surprendre... La portière droite n'ouvrait pas de l'intérieur, et je n'ai pas pu lui échapper.

Fou de rage, Nick jura en frappant du poing le toit du véhicule.

— Vous rendez-vous compte ? Vous auriez pu...

— Je suis désolée, s'excusa-t-elle, les yeux pleins de larmes. Je n'ai pas soupçonné un instant qu'il allait me pousser à l'intérieur de sa voiture, et j'avais tellement peur que j'ai peut-être manqué de présence d'esprit. Sans doute suis-je très naïve... Pourquoi êtes-vous tellement en colère ?

Il regarda fixement ses mains, le visage rigide, dépourvu de toute expression, puis il se tourna lentement vers elle. Alors, tout à coup, le masque tomba : dans ses yeux, elle lut une émotion qu'elle n'espérait plus entrevoir sur ses traits.

— Je vous aime, avoua-t-il d'une voix rauque.

Sous l'effet du choc, elle crut vaciller : ses genoux se dérobèrent sous elle. Incapable de prononcer un mot, elle resta là, immobile, abasourdie. Puis elle fit un pas vers lui.

— Je veux que vous restiez, ajouta-t-il en détournant les yeux. Mais rien ne vous retient ici, vous me l'avez dit.

Bouleversée par ce discours inattendu, Olivia articula faiblement :

— Je reste.

— Combien de temps ?

Des larmes de joie brouillaient la vue de la jeune fille, à présent.

— Aussi longtemps que vous voudrez de moi.

— Cela risque d'être long... murmura-t-il, en proie à une émotion manifeste.

Un petit silence suivit, puis elle dit dans un souffle :

— Cela ne fait rien, parce que je vous aime.

Une incrédulité totale se peignit sur son visage ; d'un mouvement brusque, trop longtemps retenu, il l'attira tout à coup dans ses bras et la serra contre lui avec un gémissement sourd. Il poussa un soupir de soulagement, et son corps se détendit.

— J'ai pris des risques toute ma vie, expliqua-t-il en plongeant ses doigts dans les cheveux d'Olivia et en pressant sa tête contre son épaule. Mais pour la première fois, j'ai eu vraiment peur de perdre.

— Nous avons failli perdre tous les deux...

Leur trop grande fierté les avait aveuglés. Ils allaient se séparer pour ne pas s'avouer leurs sentiments... Quelle stupidité !

— Quand avez-vous commencé à m'aimer ? lui demanda-t-il en la repoussant légèrement afin de la regarder.

— Je ne sais pas... Je devais vous aimer sans même m'en rendre compte.

— Eh bien moi, je vous ai aimée dès le premier jour. Pourquoi étais-je si silencieux, à Londres, ce soir-là, à votre avis ?

— Je croyais que vous vouliez m'effrayer...

— Vous effrayer ? Mon Dieu ! Si vous saviez ce que j'ai ressenti à ce moment-là ! Je vous regardais, abasourdi, et les mots s'étranglaient dans ma gorge. Je me demandais pourquoi cela m'arrivait à moi, et me retrouvai incapable de proférer un son.

Ils sursautèrent brusquement : Scaletta avait dû recouvrer ses esprits. Il venait de refermer la portière de la voiture derrière lui, et il s'éloigna bientôt sans regarder derrière lui. Ils ne le reverraient pas de si tôt.

Olivia se blottit dans ses bras.

— Epousez-moi, murmura-t-il contre son oreille.

Comme elle ne répondait pas, il fronça les sourcils.

— Nous sommes tellements différents... fit-elle, mi-rieuse, mi-sérieuse.

— Comment ? Ne comptez pas que je vous laisse partir sous prétexte que vous êtes Anglaise, et moi Sicilien ! s'écria-t-il, amusé, mais non sans une certaine arrogance.

Elle le contempla avec des yeux brillants d'amour.

— Vous êtes impossible, dit-elle affectueusement.

— C'est vrai, mais je vous poursuivrai jusqu'au bout du monde tant que vous ne m'aurez pas répondu oui.

— Ce ne sera pas nécessaire...

Lorsqu'il s'inclina pour s'emparer de ses lèvres, elle noua ses bras autour de son cou, éperdue de bonheur...

LE CANCER

(21 juin-22 juillet)

Signe d'Eau dominé par la Lune : Émotions.

Pierre : Pierre de Lune.
Métal : Argent.
Mot clé : Rêve.
Caractéristique : Double vue.

Qualités : Sensibilité, dons artistiques, aime la nuit. Idéaliste et romantique.

Il lui dira : « Je crois, j'espère, je vous adore. »

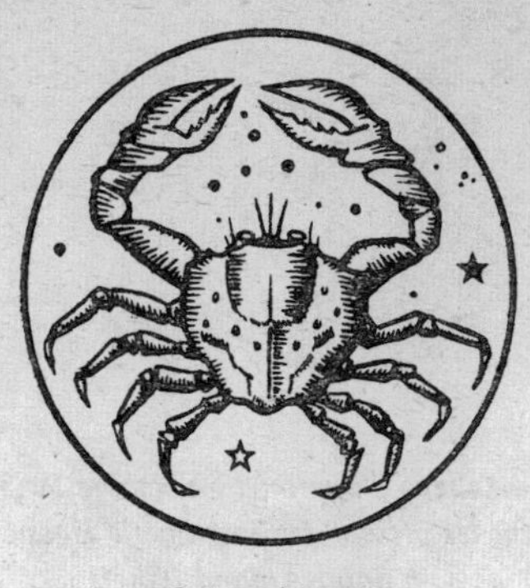

CANCER

21 juin - 22 juillet

Celle qui naît sous le signe du Cancer a une prédilection pour les métiers artistiques. La peinture la passionne autant que la musique. Quelques coups de pinceau sur une toile… et tout le monde s'extasie sur le résultat. Les sonates de Bach n'ont aucun secret pour cette mélomane avertie, même si elle n'exploite pas à fond ses aptitudes qui sont colossales.

Carla a-t-elle conscience de ses nombreux dons ?

Achevé d'imprimer en octobre 1983
sur les presses de l'imprimerie Bussière
à Saint-Amand (Cher)

— N° d'imprimeur : 1554. —
— N° d'éditeur : 28. —
Dépôt légal : décembre 1983

Imprimé en France